COLECCIÓN DESTREZAS ELE

EXPRESIÓN ORAL

Eva Beltrán Gallardo
Rosa María García Muñoz
Rosario Pomar González

Dirección editorial: enClave-ELE

Edición: Leticia Santana Negrín

Diseño y maquetación: Diseño y Control Gráfico

Cubierta: Malena Castro

Fotografías: © Shutterstock, © Edit-enclave, ©Highpress Stock, © CD Form, S. L.; pág. 10: Anton_Ivanov/Shutterstock.com; pág. 20: DFree/Shutterstock.com; giulio napolitano/Shutterstock.com; Maxisport/Shutterstock.com; Dino Geromella/Shutterstock.com; pág. 74: Soloviova Liudmyla/Shutterstock.com; Vira Mylyan-Monastyrska/Shutterstock.com.

Ilustraciones: Enrique Cordero y CD Form, S.L.

Estudio de grabación: Crab sonido

Agradecimiento: a Sofía Soo Yeon Choi y a Ana Higueras Martínez, por revisar la edición.

PRESENTACIÓN

Este cuaderno ha sido concebido como **material complementario** para la práctica de la expresión e interacción oral en la clase de español. Para ello, se ofrecen diversos temas, situaciones y actividades con el objetivo de crear la necesidad en el alumno de expresarse oralmente en español.

Está pensado para un público joven o adulto, de nivel inicial. Corresponde **al nivel A1** del *Marco común europeo de referencia* y **parte del nivel A2**. Está concebido para unas **60-80 horas de clase**.

El cuaderno está compuesto de **cinco bloques**; cada uno de ellos con un tema común. Cada bloque contiene **tres unidades,** con distintos tipos de actividades para realizar en grupos, en parejas o individualmente: ayudan a evitar la monotonía y a crear una dinámica de grupo más atractiva y motivadora al ir variando el tipo de interacción. Por esa razón, el libro se puede utilizar tanto en grupos reducidos como en los más numerosos. En cualquier caso, el profesor podrá adaptar las actividades a las necesidades propias de su grupo.

Al final de cada bloque se propone una **tarea de evaluación** donde se recogen todos los contenidos léxicos, gramaticales, funcionales y socioculturales vistos a lo largo de las unidades.

Este libro permite al alumno desarrollar su capacidad oral general en español en un amplio abanico de temas, dándole mayor fluidez, enriqueciendo su vocabulario, ayudándole a asimilar estructuras gramaticales de forma amena y en contexto, favoreciendo su capacidad de comprensión e interacción y, en última instancia, consiguiendo respuestas culturalmente adecuadas en español.

Se complementa con un **audio (descargable)** que contiene los textos grabados de algunas actividades del libro. Los audios de toda la colección se pueden descargar en la extensión www.enclave-ele.net/destrezas.

NDICE

Sistema de la lengua
Recursos para hablar de la geografía y la localización geográfica, del clima y de la temperatura: hace/ hay; llueve, graniza, nieva. / Estaciones del año.
Cultura e intercultura
Patrimonio cultural hispano. / Geografía hispana. / Datos de interés general sobre España.

Comunicación
Preguntar y hablar sobre hábitos y costumbres. / Preguntar y dar la hora. / Pedir y dar información sobre la frecuencia con la que se realiza algo.
Sistema de la lengua
Partes del día. / Días de la semana. / Meses del año. / Verbo soler. / Presente verbos reflexivos. / Expresiones de frecuencia: siempre, casi siempre, normalmente, a veces, casi nunca, nunca.
Cultura e intercultura
Horarios y formas de organizar el tiempo. / Actividades cotidianas. / Costumbres en los cumpleaños.
Comunicación
Preguntar y hablar de las actividades del fin de semana. / Pedir y dar información sobre. / Pedir y dar información sobre horarios. / Mostrar acuerdo y desacuerdo. / Hablar de gustos y preferencias. / Recursos para hablar por teléfono.
Sistema de la lengua
Actividades. / Expresiones de frecuencia: cada / ... veces a la semana / de vez en cuado / a menudo. / Verbo gustar. / A mí también / tampoco / a mí sí / no
Cultura e intercultura
Formas de organizar el tiempo libre.
Comunicación
Hacer, aceptar y rechazar una propuesta. / Concertar una cita. /Hablar de preferencias. / Hablar de acciones en curso.
Sistema de la lengua
Ir a+ infinitivo. / Verbo quedar. / Recursos para proponer algo. / Verbo apetecer. / Estar + gerundio. / Es que... / Verbo preferir.
Cultura e intercultura
Lugares de ocio en el mundo hispano. / Fórmulas para hablar por teléfono.

Comunicación
Hablar de tipos de tiendas, de precios. / Expresar necesidad. / Hablar de cantidades. / Comprar.
Sistema de la lengua
Alimentos y otros productos. / Hay que + infinitivo, (tener que + infinitivo). / Presente de indicativo: querer. / Medidas y adverbios de cantidad. / Pronombres de O. D. y O. I.
Cultura e intercultura
Tipos de tiendas. / Cantidades relacionadas con productos.
Comunicación
Hablar de gustos y preferencias. / Hablar de los ingredientes. / Pedir en un restaurante. / Pedir la cuenta.
Sistema de la lengua
Presente de indicativo del verbo encantar. / Comidas y bebidas. / Frases útiles en un restaurante. / Pronombres dativos.
Cultura e intercultura
Comidas y bebidas del mundo hispano.
Comunicación
Hablar de lugares para comer o tomar algo.
Sistema de la lengua
Vocabulario relacionado con el restaurante. / Verbo traer. / Quería... / Es mejor...
Cultura e intercultura
Hábitos y comportamientos sociales en los restaurantes.

unidad **1**

OBJETIVOS

• Conocer a los compañeros de clase.
• Identificar los objetos de la clase.
• Completar un mapa de hispanoamérica.

1. El Alfabeto.

a	a	**h**	hache	**ñ**	eñe	**u**	u
b	be	**i**	i	**o**	o	**v**	uve
c	ce	**j**	jota	**p**	pe	**w**	uve doble
d	de	**k**	ka	**q**	cu	**x**	equis
e	e	**l**	ele	**r**	erre	**y**	i griega
f	efe	**m**	eme	**s**	ese	**z**	zeta
g	ge	**n**	ene	**t**	te		

¿Cómo te llamas?

Me llamo Virginia West

Virginia:
V i r g i n i a
uve i erre ge i ene i a
West:
W e s t
uve doble e ese te

¿Está bien así?

Sí, está bien. Y tú, ¿cómo te llamas?

1. ¿Cómo te llamas?

Tú profesor te va a dar unas fichas con las letras del alfabeto. Pregunta a tu compañero el nombre y el apellido: intenta componerlo con las fichas. Él va a decirte si está bien o no y después te va a preguntar a ti.

2. ¿Cómo se llaman?

Con la ayuda de un compañero vas a conocer el nombre y el apellido de algunos escritores del mundo hispano. Vais a utilizar ambos la Ficha 1.

Ficha 1

Rulfo	Neruda	Reinaldo	Alejo
Laura	Alfonsina	Laura	Allende
Javier	Carpentier	Arenas	Juan
Isabel	Storni	Chacel	Rosa
Pablo	Esquivel	Marías	Restrepo

Alumno A: Deletrea los siguientes nombres a tu compañero. Él tiene que marcarlos en la ficha.

Alejo Carpentier / Isabel Allende / Juan Rulfo / Rosa Chacel / Laura Restrepo

Alumno B: Deletrea los siguientes nombres a tu compañero. Él tiene que marcarlos en la ficha.

Reinaldo Arenas / Alfonsina Storni / Laura Esquivel / Javier Marías / Pablo Neruda

¿Conoces a alguno de estos personajes? ¿Qué sabes sobre ellos? Pregunta a tu profesor para tener más información o busca en internet.

2. Saludos y despedidas.

1. Mira estas horas, ¿qué dices: *buenos días, buenas tardes* o *buenas noches*?

12:00 _____.   20:15 _____.   23:15 _____.
18:30 _____.   3:45 _____.   7:00 _____.

2. Observa estas fotos y decide con tu compañero lo que dicen las personas en estas cuatro diferentes situaciones. Podéis elegir entre las expresiones que están escritas debajo.

① ② ③ ④

Saludos formales:
Buenos días, buenas tardes, buenas noches.

Saludos informales:
Hola. Hola ¿qué tal?
Hola ¿qué tal estás?

Despedidas:
Adiós. / Hasta luego.
Hasta mañana.

3. ¿Hay más de una posibilidad? Decidid si se pueden combinar algunas de la diferentes expresiones escritas en los tres grupos: saludos formales, saludos informales o despedidas.

3. Presentaciones.

Presentaciones formales:

▲ Buenos días, señor Cueto. Mire, le presento a Rosa Muñoz, clienta de la empresa.
 Sra. Muñoz, el Sr. Cueto, director gerente.
■ Encantado.
● Mucho gusto.

Presentaciones informales:

▲ Mira, Charo, esta es Eva. Eva, esta es Charo, una compañera.
● ¡Hola! ¿Qué tal?
■ ¡Hola!

1. Vamos a practicar en grupos de tres. Elegid una de estas situaciones:

SITUACIÓN A
En la clase:
Presenta tu compañero a otro
compañero de clase.

SITUACIÓN B
En el centro de idiomas:
Presenta tu compañero a la directora
del centro.

Pista 1

2. ¡A participar! Vas a oír tres situaciones diferentes en las que tienes que intervenir y responder adecuadamente. Para ayudarte, aquí tienes los diálogos:

Situación A: En el trabajo.

Hablan el director de la escuela; el señor Molina, es el nuevo secretario y tú, que eres la profesora Rosa Muñoz.

▲ Buenos días, señora Muñoz. ¿Qué tal está?
● - _____ ¿_____ ?
▲ Bien, gracias. Mire, le presento al señor Molina, el nuevo secretario. La señora Muñoz.
● _____ .
■ Mucho gusto.

Situación B: En la calle.

Hablan tu amigo Pepe, tú que te llamas Paco y Pili, compañera de Pepe.

▲ ¡Hola, Paco! ¿Qué tal estás?
● _____ ¿ _____ ?
▲ Muy bien. Mira, esta es Pili, una compañera de clase. Y este es Paco, un amigo.
● _____ ¿ _____ ?
■ ¡Hola!

Situación C: En el centro de idiomas.

Hablan Santiago, estudiante de chino y tú, estudiante de español

▲ Hola, ¿qué tal?
● _____ ¿ _____ ?
▲ ¿Cómo te llamas?
● _____
▲ ¿Y de apellido?
● _____ Me llamo_____
 ¿ _____ ?
▲ Yo me llamo Santi. ¿Y de dónde eres?
● _____ .
▲ Yo soy español. ¿Tomamos un café?
● _____ .

4. La clase.

1. ¿Cómo se llaman las cosas de la clase? Observa el dibujo.
Con un compañero asocia los objetos del dibujo con estas palabras:

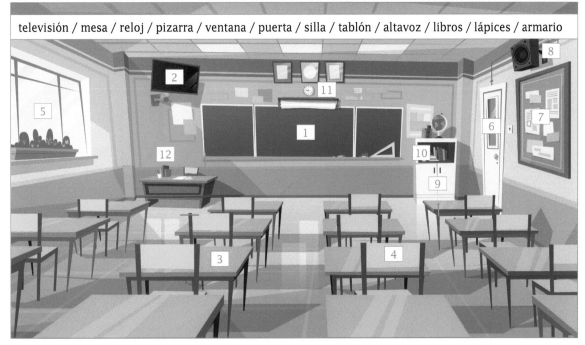

televisión / mesa / reloj / pizarra / ventana / puerta / silla / tablón / altavoz / libros / lápices / armario

2. ¿Jugamos al "veo, veo" con el nombre de las cosas de la clase? Puedes hacerlo con un compañero o con toda la clase.

- ■ *Veo, veo*
- ● *¿Qué ves?*
- ■ *Una cosa que empieza por la letra...."p"*
- ● *Puerta*

- ■ *No*
- ● *Pizarra*
- ■ *Sí*

Ahora le toca el turno al alumno que ha acertado. Gana el que más palabras acierta.

5. Países y nacionalidades.

1. ¿Cuál crees que es su nacionalidad? Adivina la nacionalidad de estas personas. Atención al género y al número. Puedes hacerlo con un compañero o con toda la clase.

- David y Lois
- Louise
- Rosa
- Helmut

- Ali
- Nikos
- Shelma
- Andrea y Paola

- Javier
- Habiba
- Masako
- João

- ■ Yo creo que Paola es japonesa.
- ● ¿Sí? No, yo creo que es italiana.
- ■ Sí, sí, es verdad.

2. ¿Y tú, de dónde eres? Pregunta a tus compañeros de clase.

3. **Ahora vamos a completar un mapa de Hispanoamérica. Decide con tu compañero quién va a ser el Alumno A y el Alumno B.**

Alumno A. Aquí tienes un mapa de Hispanoamérica incompleto. Pregunta a tu compañero la información que te falta para completar el mapa.

MÉXICO

CUBA

Juan Luis

Managua

San José

Caracas

COLOMBIA

Quito

Rigoberta

PERÚ

ARGENTINA

David Carlo

Santiago

Raquel Beatriz

Salvador

Alumno B. Aquí tienes un mapa de Hispanoamérica incompleto. Pregunta a tu compañero la informacion que te falta para completar el mapa.

¿Cuál es la capital de...?
¿...es la capital de qué pais?
¿De dónde es...?
¿Cuál es la nacionalidad de...?

Ciudad de México

La Habana

Juan Luis

NICARAGUA
COSTA RICA

VENEZUELA

Bogotá

Rigoberta

ECUADOR

Lima

CHILE

David Carlo

Buenos Aires

Raquel Beatriz

Salvador

ESTUDIAMOS ESPAÑOL PARA...

unidad 2

OBJETIVOS

- Adquirir los recursos para hablar solo español en clase.
- Descubrir las razones por las que estudiamos español.

1. ¿Qué lenguas hablas?

1. Muchas veces el nombre de la nacionalidad es el de la lengua que se habla. Practica con tu compañero.

¿Qué lengua se habla en España?

¿Qué lengua hablan en Ecuador?

2. Y tú ¿Qué lengua hablas? Pregunta a tus compañeros.

- ¿De dónde eres? /- Soy brasileño. /- ¿Qué lengua hablan en Brasil? /- Hablamos portugués brasileño.

2. Seguro que conoces muchas palabras en español.

1. Escribe en la Ficha 1 algunas palabras (entre 5 y 8), solo tienes tres minutos.

Palabras relacionadas con España e Hispanoamérica	Palabras de la clase

FICHA 1

2. Compara tus resultados con los de un compañero y haced una nueva lista solo con las que tenéis en común. Escribe la lista en la Ficha 2:

Palabras relacionadas con España e Hispanoamérica	Palabras de la clase

FICHA 2

3. Con toda la clase vais a elaborar una nueva lista con las palabras que se repiten en todas las listas de todas las parejas. Completa la Ficha 3.

Palabras relacionadas con España e Hispanoamérica	Palabras de la clase

FICHA 3

4. ¿Coincide la primera lista con las otras dos? Sí ☐ No ☐

3. ¿Cómo se dice... en español?

**1. Elige la opción A o la opción B. Tu compañero va a elegir la otra.
Completa los nombres de las imágenes preguntando a tu compañero.**

ALUMNO A

PAN   _____   SOL   _____   CINE

_____   GUITARRA   _____   CALLE   _____

ALUMNO B

_____   LIBROS   _____   TELÉFONO   _____

CASA   _____   VINO   _____   MUSEO

4. En clase vas a necesitar otras expresiones.

Pista 2

1. Escucha estas frases y reacciona con las expresiones a continuación.

- Más alto, por favor.
- Más bajo, por favor.
- Más despacio, por favor.

- ¿Cómo? Repite, por favor.
- No entiendo.
- ¿Qué significa...

- ¿Cómo se escribe...?
- ¿Cómo se dice... en mi lengua?

2. Vuelve a escuchar el audio: ¿puedes reaccionar con otra expresión?

5. Completa estas frases.

Pista 3

1. Escucha estas frases, a todas ellas les falta una expresión o una palabra.

Vuélvelo a escuchar y repite cada frase con la palabra o expresión que falta en el audio.

2. Vuélvelo a escuchar y y repite cada frase con la palabra o expresión que falta.

3. ¿Podrías completar estas afirmaciones con tu compañero?
¿Qué decimos cuando...

- ...pido un favor a otra persona? _____.

- ...otra persona me hace un favor? _____.

- ...hago una cosa que no es correcta? _____.

- ...una persona me dice gracias? _____.

6. ¿Jugamos con los verbos?

Verbos en – **ar**　　Verbos en – **er**　　Verbos en - **ir**
CANT**AR**　　　　COM**ER**　　　　DORM**IR**

1. 👥 👥 **En grupos de cuatro.**

Alumno 1.- Hace mímica para representar una acción
(ej.- mímica de leer).

Alumno 2.- Grita el verbo.

Alumno 3.- Hace mímica para representar la persona
(ej.- mímica de vosotros).

Alumno 4.- Grita la forma del verbo que corresponda.

Para la siguiente acción el Alumno 1 pasa a ser el 2, el 2 pasa a ser el 3, el 3 pasa a ser el 4 y el 4 pasa a ser el 1.

La siguiente acción seguimos rotando y así hasta el final.

Tenéis cinco minutos.

¿Cuántos verbos podéis conjugar? ¿Qué grupo es el más rápido? ¿Y el que tiene menos errores?

2. 👥👥 **De tres en tres.**

Alumno 1.- empieza un verbo: **cant-**

Alumno 2.- completa el verbo: **cantamos**

Alumno 3.- dice la persona: **nosotros**

3. 👥 **De dos en dos.**

Con un dado.

Alumno 1.- dice un verbo en infinitivo: **cantar**

Alumno 2.- tira el dado y dice la persona que corresponda al número del dado (1: yo; 2: tú; 3: él; 4: nosotros; 5: vosotros; 6: ellos).

(ej.: - Dado 5: cantáis)

7. ¿Para qué estudias español?

Vas a hablar con tu compañero de las razones que tienes para estudiar español. Para ello lee las siguientes frases y señala las que no entiendas:

ESTUDIO ESPAÑOL PARA...

...viajar por España e Hispanoamérica.
...hablar con hispanohablantes.
...ver la televisión / las películas de Almodóvar.
...leer novelas de Isabel Allende / periódicos.
...escuchar canciones de Carlos Vives / Shakira.

ESTUDIO ESPAÑOL PORQUE...

...quiero estudiar en España.
...trabajo en contacto con Hispanoamérica
...paso las vacaciones en Costa Rica.
...hablo otras lenguas latinas.
...me gusta.

ESTUDIO ESPAÑOL POR...

... mis estudios.
... mi trabajo en una ONG.

1. **Pide a un compañero que te explique las frases que no entiendes. Tú vas a hacer lo mismo. ¡Cuidado! Solo podéis dibujar, hacer mímica o utilizar otras palabras en español.**

2. **¿Habéis entendido todo? Pregunta a tu profesor lo que no entendáis. (¿Qué significa...?/¿Cómo se dice...?).**

3. **Vamos ahora a formular la regla del "por/para/porqué" en español. ¿Cuál es la mejor de todas?**

Escríbela aquí para no olvidarla:

ESTUDIO ESPAÑOL PARA... _____.

ESTUDIO ESPAÑOL PORQUE... _____.

ESTUDIO ESPAÑOL POR... _____.

4. **Practica con tu compañero.**

ALUMNO A.

Aquí tienes una serie de personas que tienen diferentes razones para estudiar español.

1. **Relaciona las columnas y contesta a las preguntas que te hace tu compañero.**

   - ¿Por qué Sigrid estudia español?
   - Sigrid estudia español para leer periódicos.

2. **Ahora pregunta a tu compañero sobre las razones de estas personas para estudiar español, toma notas.**

Yo		leer periódico
Sigrid		su profesión
Nicole y Stephanie	estudiar español	vivir en Uruguay
Carlota y Piera	por/para/porque	hablar con amigos
Barbara y yo		queremos visitar España
Hamid		necesito escribir en español

   - ¿Por qué estudia español Piero?
   - Sasha y Nina / tú / Frank y tu compañero / Ivana e Irina / Mohamed
   ¿Coinciden en algunas razones? ¿En cuáles?

3. **Y ahora pregunta con tu compañero a los otros estudiantes de la clase. ¿Cuál es la razón más frecuente?¿Es igual a alguna de las respuestas de la actividad anterior?**

4. **Confecciona una lista de las cinco razones más frecuentes de la clase. Para ello ve preguntando a tus compañeros de clase.**

   1 UNA

   2 DOS

   3 TRES

   4 CUATRO

   5 CINCO

ALUMNO B.

Aquí tienes una serie de personas que tienen diferentes razones para estudiar español.

1. Pregunta a tu compañero sobre las razones de estas personas para estudiar español, toma notas.

Yo
Sigrid
Nicole y Stephanie
Tú
Barbara y tú
Hamid

2. Ahora relaciona las columnas y contesta a las preguntas que te hace tu compañero.

- Piero estudia español para leer periódicos.

¿Coinciden en algunas razones? ¿En cuáles?

Tú		hablar con clientes
Sasha y Nina		viajar a Cuba
Yo	estudiar español	hablar con amigos
Frank y yo	por/para/porque	quiero visitar España
Mohamed		queremos trabajar en Ecuador

3. Y ahora pregunta con tu compañero a los otros estudiantes de la clase.

¿Cuál es la razón más frecuente?
¿Es igual a alguna de 1 o 2?

4. Confecciona una lista de las cinco razones más frecuentes de la clase.

Para ello ve preguntando a tus compañeros de clase.

1 UNA

2 DOS

3 TRES

4 CUATRO

5 CINCO

INTERCAMBIAMOS INFORMACIÓN

unidad

3

OBJETIVOS

- Jugar con los números.
- Escribir la dirección de un compañero en un sobre.
- Hablar de los datos personales de un personaje famoso.
- Elaborar la agenda de teléfono y direcciones electrónica de la clase.

1. Números.

1. Piensa en un número del 11 al 99. Díselo a tu compañero, él tiene que decir el número con el orden contrario.

2. Jugamos a los barcos... con palabras.

¿Sabes jugar a los barcos? Primero, escribe en horizontal o vertical 6 palabras en español en los cuadros de tu tabla:

1 palabra de dos letras.
1 de tres letras.
2 de cuatro letras.
1 de cinco letras.
1 de seis letras.

Ahora, ya empieza el juego: intenta encontrar las palabras de tu compañero. Si encuentras una letra él te la dirá, si no la encuentras te dirá: *¡Agua!*, y cambiáis el turno.

▲ *Empiezo: Tres-cuarto.*

● *¡Agua! Ahora me toca a mí. A ver..., dos-octavo.*

▲ *¡Qué suerte! Hache.*

● *Pues... dos-noveno.*

▲ *No, no, ¡agua!*

	1	2	3	4	5	6	7	8	9	10
I										
II										
III										
IV										
V										
VI										
VII										
VIII										
IX										
X										

3. En el aeropuerto.

Elige A o B y trabaja con tu compañero.

Alumno A. Tu compañero y tú estáis en el aeropuerto de Málaga esperando a unos amigos que llegan de diferentes ciudades. Los paneles que anuncian los vuelos de llegada no funcionan, y la información que ves no es completa. Tu compañero está en otra de las puertas de llegadas. Llámale a su teléfono móvil e intenta completar la información que falta en tu panel.

- ● Hola X, soy... ¿(Sabes) cuál es el número de vuelo/el origen/la puerta de...?
- ■ No/sí, es el/la...

LLEGADAS

HORA	VUELO	ORIGEN	PUERTA	ESTIMACIÓN
13:10	BA1641	LONDRES-GATWICK	A	ATERRIZADO
13:15	IB8446	GINEBRA		RETRASADO
13:25	AZ5203	MILÁN		ATERRIZADO
13:35		BRUSELAS	A	ATERRIZADO
13:45	1466		B	HORA PREVISTA
13:55	AFR9110	BURDEOS		RETRASADO
14:00	OA4943		A	HORA PREVISTA
14:05	IB1109	NUEVA YORK	B	CANCELADO

Alumno B. Tu compañero y tú estáis en el aeropuerto de Málaga esperando a unos amigos que llegan de diferentes ciudades. Tú compañero está esperando en otra puerta y te llama por teléfono porque los paneles que anuncian los vuelos de llegada no funcionan. El panel que tú ves tampoco funciona bien. Entre los dos, intentad completar la información sobre los distintos vuelos.

- ¿Diga?
- ¿Cuál es el número de vuelo/el origen/la puerta de...?
- No/sí. Es el/la...

LLEGADAS

HORA	VUELO	ORIGEN	PUERTA	ESTIMACIÓN
13:10		LONDRES-GATWICK		ATERRIZADO
13:15	IB8446		A	RETRASADO
13:25	AZA91		B	ATERRIZADO
13:35	VEX832	BRUSELAS		ATERRIZADO
13:45	TU1466	TÚNEZ	B	HORA PREVISTA
13:55		BURDEOS	B	RETRASADO
14:00	OA4943	ATENAS		HORA PREVISTA
14:05		NUEVA YORK	B	CANCELADO

4. ¿Los conoces?

1. Aquí tienes las fotos de personajes famosos del mundo hispano. ¿Sabes quiénes son? Habla con dos compañeros.

  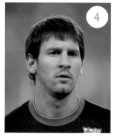 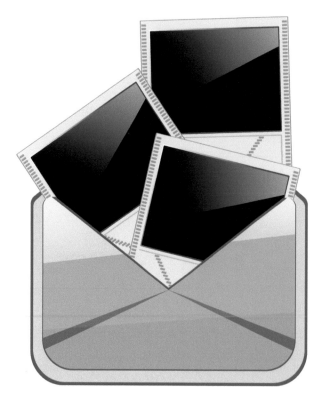 

- ● ¿El número 2 es el rey de España?
- ▪ No sé.
- ▲ No, yo creo que el 2 es el Papa Francisco.

2. ¿Los conocéis a todos? ¿Qué más sabéis de ellos? ¿Sabéis de dónde son? ¿Dónde viven? ¿A qué se dedican?

3. Ahora piensa en un personaje famoso y explica a tus compañeros todo lo que sabes de él, sin decir su nombre. Ellos tienen que adivinar de quién se trata. Para ello, pueden hacerte preguntas a las que tú solo puedes contestar sí/no.

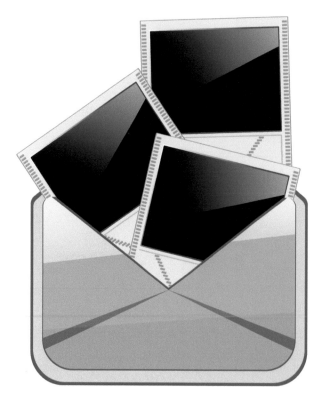

5. Direcciones

Quieres enviarle unas fotos del primer día de clase a un compañero. ¿Por qué no le pides su dirección postal y completas el sobre?

¿Dónde vives? ¿Cuál es tu dirección/ el código postal? ¿En qué calle/número, piso, ciudad... vives?

También puedes enviarle las fotos por email. Pregúntale a tu compañero: ¿cuál es tu email? ¿puedes deletrearlo?

6. Tarjetas de visita.

Elige A o B y trabaja con tu compañero.

Alumno A.

Tienes todas estas tarjetas de visita con información incompleta. Pregunta a tu compañero por la información que te falta.

- ¿Cómo se llama de nombre/de (primer/segundo) apellido...?
- Se llama...
- ¿Cómo se apellida?
- ¿En qué ciudad/calle/númer/piso/puerta... vive...?
- ¿Tienes el teléfono/el correo electrónico/la dirección de...?
- No/sí, es el...
- ¿Qué hace...? ¿A qué se decida...?
- Es.../Trabaja como...

Al final, compara las tarjetas con las de tu compañero.

¿Algo te llama la atención?

Elige A o B y trabaja con tu compañero.

Alumno B.

Tienes todas estas tarjetas de visita con información incompleta. Pregunta a tu compañero por la información que te falta.

- ¿Cómo se llama de nombre/de (primer/segundo) apellido...?
- Se llama...
- ¿Cómo se apellida?
- ¿En qué ciudad/calle/númer/piso/puerta... vive...?
- ¿Tienes el teléfono/el correo electrónico/la dirección de...?
- No/sí, es el...
- ¿Qué hace...? ¿A qué se decida...?
- Es.../Trabaja como...

Al final, compara las tarjetas con las de tu compañero.

¿Algo te llama la atención?

7. La agenda de la clase.

Entre todos vamos a hacer la agenda de direcciones electrónicas y teléfonos de la clase.

1. 🧑‍🤝‍🧑 🧑‍🤝‍🧑 **En grupos de cuatro.**

1) Elegid un nombre para vuestro grupo.
2) Completad esta ficha con los datos de los cuatro.

- ¿Cómo te llamas?
- ¿Cuál es tu número de móvil/ correo electrónico?
- ¿Cómo se escribe?
- ¿Puedes repetir, por favor?

Nombre del grupo:

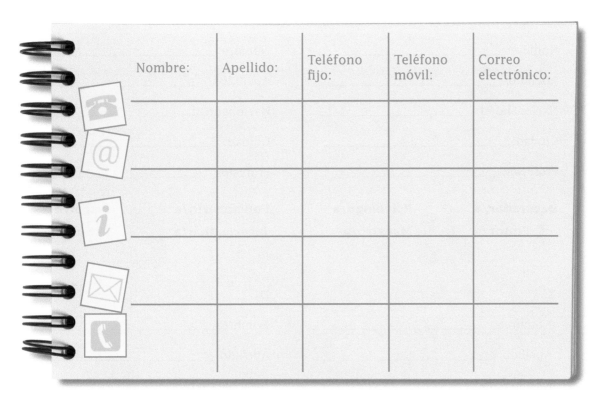

Nombre:	Apellido:	Teléfono fijo:	Teléfono móvil:	Correo electrónico:

2. Formad nuevos grupos, de manera que en cada nuevo grupo haya, al menos, un miembro de cada uno de los grupos anteriores.

1) Poned en común la información para hacer la agenda de la clase. (Recordad que ahora habláis también de ellos).
2) Decidid cuáles van a ser los criterios para ordenar la agenda.
3) Presentadla al resto de la clase.

3. Elegid cuál es la agenda que os gusta más, y pedidle al profesor que os haga unas copias.

La fiesta de Loles

Una amiga española, Loles, ha organizado una fiesta en su nueva casa. Los invitados a la fiesta pertenecen a cuatro grupos:

1) Amigos.

2) Compañeros de sus clases de pilates.

3) Compañeros de trabajo.

4) Nuevos vecinos.

Tú vas a ser uno de los invitados. Tu profesor te dirá en secreto a qué grupo perteneces.

1. Completa la ficha que te corresponde (A, B, C o D) con tus datos personales, excepto para la profesión.

Para completar la profesión tienes que elegir entre las opciones que hay debajo de la ficha que te corresponde.

A

Nombre: _____

Apellido: _____

Nacionalidad: _____

Ciudad: _____

Profesión: _____

Decorador/a   Psicólogo/a

Pintor/a   Maestro/a

B

Nombre: _____

Apellido: _____

Nacionalidad: _____

Ciudad: _____

Profesión: _____

Funcionario/a   Pediatra

Informático/a   Estudiante

C

Nombre: _____

Apellido: _____

Nacionalidad: _____

Ciudad: _____

Profesión: _____

Vigilante   Jefe de personal

Contable   Secretario/a

D

Nombre: _____

Apellido: _____

Nacionalidad: _____

Ciudad: _____

Profesión: _____

Cirujano/a plástico   Peluquero/a

Jubilado/a   General de la Marina

Recuerda bien todos estos datos, porque esa va a ser tu identidad durante la fiesta.

2. En una fiesta se hacen muchas cosas: comer, beber, bailar, hablar... y nosotros, sobre todo, vamos a conocer gente.

Estos son nuestros objetivos en la fiesta; si perteneces al grupo.

A. Tienes que conocer a los miembros de tu grupo de invitados, los amigos de Loles.
B. Tienes que conocer al menos a un miembro de cada uno de los cuatro grupos.
C. Tienes que conocer a los miembros de tu grupo de invitados, los vecinos de Loles.

Recuerda todo lo que has aprendido con anterioridad

- cómo preguntar y hablar por/de la información personal,
- cómo tienes que saludar en diferentes situaciones,
- qué tienes que decir para presentar a dos personas,
- cómo tienes que reaccionar cuando te presentan a alguien etc...

Bueno... ¡la fiesta comienza!

3. Después de la fiesta, cada uno de vosotros va a hablarnos de todo lo que sabe de alguna/s de las personas que ha conocido en la fiesta.

Tu profesor/a va a grabarte, así podrás ver cómo lo has hecho.

4. Por último, vas a hacer una autoevaluación de la tarea. Para ello señala tu opinión sobre las siguientes capacidades.

	++	+	–	– –
Puedo contestar a preguntas sobre mis datos personales.				
Puedo preguntar a otras personas sobre sus datos personales.				
Puedo presentar a dos personas.				
Puedo reaccionar adecuadamente cuando me presentan a una persona.				
Puedo saludar y despedirme adecuadamente en cada situación.				
Puedo hablar sobre los datos personales de alguien que conozco.				

SOMOS ASÍ

unidad 4

OBJETIVOS

- Dibujar el retrato de una persona imaginada.
- Responder a un test sobre lo que sabemos de los colores.
- Hacer la lista de la ropa que necesitamos para unas vacaciones.
- Elegir un compañero para el viaje.
- Describir a un compañero de la clase.

1. Contrarios.

¿Recuerdas palabras y expresiones para describir físicamente a una persona?

Tú vas a decir una palabra relativa a la descripción y tu compañero tiene que decir el contrario, o una cualidad un poco diferente.

- A ver... "alto"
- "Bajo", ¡qué fácil!
- Muy bien, pues ahora...

- "pelo corto".
- "Pelo largo".

2. ¿Cómo es?

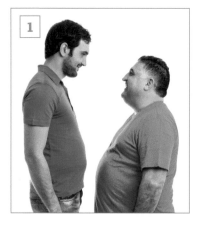

1. **Con dos compañeros, intentad relacionar las palabras del recuadro con las fotos anteriores.**

   ■ La chica de la foto 2 es muy joven.
   ● Sí, y tiene el pelo rizado.
   ▲ Bueno, un poco rizado. Además lleva gafas.

2. **Ahora, elige a una de las personas de la foto y descríbela físicamente. Los otros dos tienen que intentar adivinar de quién se trata. Para ello, pueden hacer preguntas a las que tú solo puedes contestar sí/no.**

   ■ Es un chico joven, con el pelo no muy largo.
   ▲ Es el número 1.
   ■ No. También tiene gafas...
   ▲ ¿Tiene barba?
   ■ ¡Sí!
   ▲ ¡Es el chico de la foto 2!

Ojos marrones
Pelo rizado
Rubio
Un poco calvo
Con gafas
Muy joven
Con barba
Perlo corto
Alto
Bastante delgado
Pelo castaño

3. Sopa de letras.

1.

A	C	D	F	N	J	L	M	Ñ	Q	S	U
B	R	B	Z	B	D	E	M	F	H	J	G
L	V	I	E	J	O	M	O	O	P	R	T
G	T	G	E	V	I	X	R	B	A	J	F
I	D	O	S	A	L	I	E	C	A	N	Z
Y	T	T	U	C	I	R	N	I	P	U	N
N	D	E	L	G	A	D	O	N	E	O	B
N	A	E	N	W	E	C	E	S	I	C	O
O	J	O	S	A	Z	U	L	E	S	N	A
P	A	R	E	N	T	I	C	I	O	N	S

Alumno A. Tienes que encontrar cinco expresiones relacionadas con la descripción física.
Después comprueba tus palabras con otro compañero que sea Alumno A.

O	J	O	S	M	A	R	R	O	N	E	S
C	B	U	P	A	F	E	I	T	R	D	O
E	G	I	S	L	N	O	D	R	E	T	A
A	J	O	V	E	N	A	D	O	G	U	E
F	E	T	R	M	J	Q	P	C	D	O	S
S	O	N	C	D	N	U	S	O	U	Z	I
I	N	G	E	N	I	D	A	L	B	I	R
R	O	N	C	A	S	T	F	E	B	A	R
A	C	A	S	T	A	Ñ	A	P	E	L	A
S	O	M	E	L	I	E	N	T	R	E	D

Alumno B. Tienes que encontrar cinco expresiones relacionadas con la descripción física.
Después comprueba tus palabras con otro compañero que sea Alumno B.

2. **Entre las palabras que habéis encontrado hay una que tiene forma de diminutivo. ¿Cuál es?**

   ¿Qué significado creéis que añade ese diminutivo a la palabra?

   ¿A qué otras palabras añadirías el diminutivo?

3. **Ahora tenéis que trabajar un alumno A con un alumno B.**

   Tú tienes que describir a una persona con las características que has encontrado en la sopa de letras. Puedes añadir otras características, pero que no sean contradictorias.

   Tu compañero tiene que intentar dibujar el retrato de la persona que tú describes.

4. **¿Qué te parece el retrato? ¿Se corresponde con la descripción que tú has hecho?**

4. Colores.

1. En un programa de la radio escuchas una encuesta para saber con qué colores relacionamos unas palabras o ideas. ¿Te animas a responder la encuesta?

Pista 4

Di tus respuestas en voz alta al mismo tiempo que tu compañero y mirándoos a los ojos.

2. ¿Coincidís en las respuestas?

▲ Yo relaciono la noche con el negro, ¿y tú?

● Yo también. ¿Y el día?

▲ Con el amarillo. ¿Y tú?...

3. ¿Coincidís con las del resto de la clase?

5. ¿Cuánto sabes de los colores?

1.

Alumno A. Vas a hacer un test para ver cuánto sabéis de los colores. Hazle preguntas a tu compañero sobre el color de los siguientes enunciados y anota sus respuestas.
¿De qué color/es es/son... el/la/...?
¿Cuál/es es/son el/la/...?

1. La camiseta del Real Madrid	
2. Los aros olímpicos	
3. El mar en los mapas	
4. La portada de este libro	
5. La bandera argentina	
6. El color favorito de tu compañero	
7. Tu color favorito	
8. El color favorito de tu profesor	

Alumno B. Vas a hacer un test para ver cuánto sabéis de los colores. Hazle preguntas a tu compañero sobre el color de todo esto y anota sus respuestas.
¿De qué color/es es/son... el/la/...?
¿Cuál/es es/son el/los color/es de...?

1. La camiseta del Barcelona	
2. La bandera de la UE	
3. Las montañas en los mapas	
4. El título del libro	
5. La bandera española	
6. El color favorito de tu compañero	
7. Tu color favorito	
8. El color favorito de tu profesor	

2. ¿Quién ha tenido más respuestas correctas?

6. La ropa.

1. ¿Sabes cómo se llaman estas prendas de vestir en español? Habla con dos compañeros.

▲ Creo que el 5 es una camisa.

● Sí, y el 8 un cinturón ¿no?

■ Creo que sí. ¿Sabéis que es el 2?

2. ¿Conocéis el nombre de otras prendas de vestir?

3. Fíjate en la ropa que aparece en las fotos del ejercicio 2. ¿Cuáles son las prendas que prefieres? Habla con dos compañeros de clase.

▲ Yo, _____ , es _____ y _____ .

● Ah, yo no, es demasiado _____ . Prefiero _____ .

■ Sí, yo también. _____ es _____ también.

7. ¿Cómo andas de memoria?

Vamos a probar tu memoria jugando. En todo juego hay unas normas que respetar. Las nuestras son estas:

Formad grupos de cuatro o cinco compañeros.

Decidid quién va a empezar el juego. El turno irá en el sentido de las agujas del reloj.

El primero empieza diciendo, por ejemplo:

   - Voy a la playa con una camiseta.

El siguiente tiene que repetir la frase y añadir otra prenda de vestir, apropiada para ir a....

   - Voy a la playa con una camiseta, y un bañador.

Y así sucesivamente.

El que cometa un error (olvidar una palabra, decir una prenda inadecuada que los demás no aceptan...) quedará eliminado.

Vuelve a comenzar con otra serie el compañero que está a la izquierda del eliminado.

Gana el estudiante que no ha cometido ningún error.

8. De vacaciones en...

1.  **Imagina que tienes un mes de vacaciones para viajar donde quieras. Elige un destino con tu compañero.**

2. **Ahora, entre los dos haced la lista de la ropa que necesitáis meter en la maleta para ir al destino elegido.**

Tenemos que llevar ropa de abrigo.

Sí, por ejemplo un anorak o algo impermeable.

Sí, y también jerséis.

3. **Leed la lista de clase. Ellos tienen que adivinar el destino de vuestro viaje.**

9. Un compañero de viaje.

1. **¿Recuerdas palabras y expresiones para describir el carácter de una persona? Vamos a jugar a los contrarios, otra vez.**

   Tú vas a decir una palabra relativa a la descripción y él tiene que decir el contrario, o una cualidad un poco diferente.

   ▲ A ver... simpático.
   ● Antipático, ¡qué fácil!
   ▲ Ahora tú.
   ● Pues... divertido.
   ▲ Aburrido.

2. **Fíjate de nuevo en la foto del ejercicio 2. ¿Cómo crees que es el carácter de esas personas? Habla con dos compañeros de clase.**

   ▲ Yo creo que la chica es alegre y dinámica.
   ● Sí, y el hombre es serio y un poco antipático, ¿no?
   ■ Sí, serio sí, ¿pero antipático? No sé. A mí me parece maduro, responsable.

3. **¿Con cuál de ellos te irías al viaje de la actividad 5? Habla con tus compañeros.**

   ▲ Yo creo que con la chica, porque parece muy divertida.
   ● Sí, pero demasiado juvenil. Yo prefiero al chico, porque parece más centrado.

10. ¡Qué...!

ista 5

1. Vas a escuchar a alguien decir nombres de personajes conocidos. Reacciona con una exclamación y con tu opinión sobre ellos.

   ▲ ¡Qué guapo/interesante...!
   ● ¡Qué hombre/mujer tan inteligente/joven...!

2. Compara tu opinión con la de tu compañero.

3. ¿Por qué no dices tú el nombre de otro personaje conocido para ver cómo reaccionan tus compañeros?

11. La otra mitad.

El profesor te va a dar dos mitades de dos fotos diferentes dónde hay personas diferentes.

Vas a hacer para toda la clase la descripción de una de las fotos con el máximo de detalles posibles. Habla del físico, de la ropa, de cómo crees que es el carácter de la persona de la foto,...

Tus compañeros te van a escuchar muy atentamente para encontrar la foto que corresponde a la otra mitad de la que tú describes.

   ▲ Es un hombre joven, de unos 25 años...
   ● ¿Es este?
   ▲ ¿A ver...? Sí, sí es este.

12. ¿Cómo te ven tus compañeros?

1. Completa esta ficha con dos características, una positiva y otra negativa, de tu físico, de tu carácter.

2. Tu profesor te va a dar un papel con el nombre de uno de tus compañeros de clase.

   - Tienes que preparar una descripción sobre él.
   - Habla de su físico, de su carácter, de su forma de vestir...
   - Haz la descripción para toda la clase. Tus compañeros tienen que adivinar de quién se trata.

3. ¿Qué te parece la descripción que han hecho de ti? ¿Han hablado de las características con las que has completado la ficha de la actividad 12.1.?

HABLAMOS DE ELLOS

unidad

5

OBJETIVOS

- Hablar de la familia de un compañero.
- Hablar de los modelos de familia de la clase.
- Identificar y hablar de la gente que te rodea.
- Elegir pareja para un compañero.

1. La familia de María.

1. Vas a trabajar con tu compañero para conocer a la familia de María, una niña española.

Alumno A: Tú tienes una ficha con parte de los miembros que componen la familia de María. Pregunta a tu compañero la información que te falta.

<u>**ALUMNO A. FICHA 1.**</u>

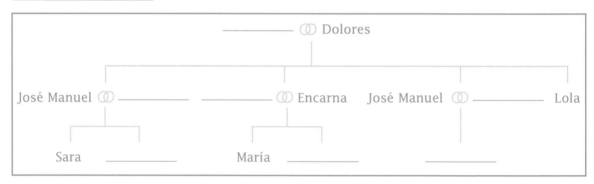

▲ ¿Cómo se llama el abuelo de María?
  El abuelo de María se llama Francisco.

● ¿Y el padre de María?

<u>**ALUMNO A. FICHA 2.**</u>

Ahora, pregunta a tu compañero cómo son los familiares de María que faltan en tu ficha.

▲ ¿Cómo es el abuelo de María?
  El abuelo de María tiene barba, el pelo blanco y una camisa azul.

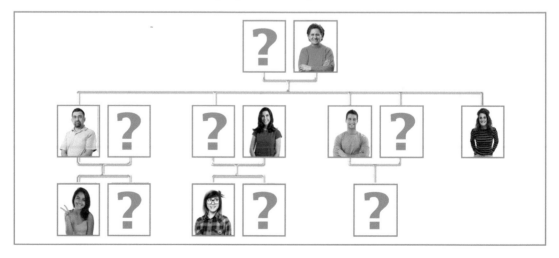

ALUMNO B. FICHA 1.

Alumno B: Tienes una ficha con los nombres de algunos miembros de la familia de María. Pregunta a tu compañero la información que te falta.

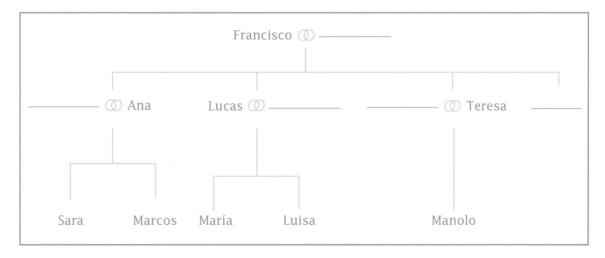

▲ ¿Cómo se llama la abuela de María?
La abuela de María se llama Dolores.

● ¿Y la madre?

ALUMNO B. FICHA 2.

Ahora, pregunta a tu compañero cómo son los familiares de María que faltan en tu ficha.

▲ ¿Cómo es la abuela de María?
La abuela de María es morena, tiene el pelo corto y una blusa roja.

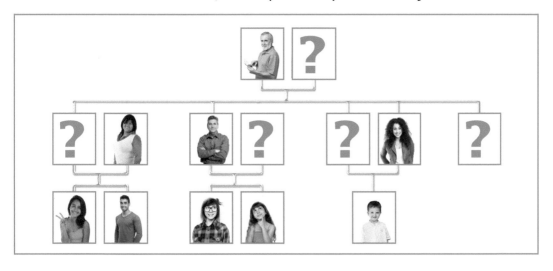

padre - madre	abuelo - abuela	sobrino - sobrina
hijo - hija	nieto - nieta	hermano - hermana
suegro - suegra	cuñado - cuñada	primo - prima
yerno - nuera	tío - tía	

2. Nombres familiares.

1. En la familia de María hay algunos nombres familiares, ¿sabes de qué nombres se trata?
Con tu compañero vais a descubrir algunos nombres más relacionando estas dos columnas:

■ Yo creo que Pancho es Francisco.

● Entonces, también Curro y Paco.

■ ¿Y Toño es Antonio?

● Es posible...

1. Manuel	a. Maite; Tere
2. Francisco	b. Perico
3. José	c. Charo
4. María de los Dolores	d. Manolo, Lolo; Manu
5. María Asunción	e. Lola, Loles
6. Pedro	f. Paco; Curro; Pancho
7. María del Carmen	g. Toño
8. María Luisa	h. Pepe
9. Antonio	i. Marisa
10. María Teresa	j. Menchu; Mamen
11. María del Rosario	k. Chus; Susi
12. María Jesús	l. Chona; Asun
13. María del Consuelo	m Chelo

3. ¿Y tu familia?

Ahora, vas a conocer a la familia de tu compañero y a presentarla al resto de la clase: Primero, pide a tu compañero que te responda a unas preguntas sobre su familia.

Esto te puede ayudar:

¿Cuántos sois en tu familia?	¿Qué hace?	mi – mis
¿Cómo se llama tu...?	¿Dónde vive?	tu – tus
¿Cuántos años tiene?	¿Tiene hijos?	su – sus

También te puede ayudar este cuadro para tomar nota y no olvidar datos:

relación contigo	nombre	edad	profesión	estado civil	hijos	lugar de residencia

Ahora, cuenta al resto de la clase lo que sabes de la familia de tu compañero. Atención, ellos pueden hacerte preguntas si quieren saber más datos:

■ David tiene dos hermanos. Su hermano mayor se llama Leo, está casado, tiene un hijo y es taxista. Su hermana estudia psicología y está soltera.

● ¿Cuántos años tienen?

■ Su hermana tiene 19 y su hermano 25.

▲ ¿Dónde viven?

■ Viven en...

4. Tipos de familias y parejas.

1. Has conocido a la familia de María. ¿Tú tienes el mismo concepto de familia? Coméntalo con tu compañero.

2. 👥 En parejas: ¿podéis decir lo que significan estas expresiones? Relaciónalas con la foto correspondiente.

Familia monoparental.   Pareja homsexual.
Familia numerosa.   Pareja sin hijos.

¿En que grupo incluís a vuestra familia?

3. Con el resto de la clase: comentad cuál es el modelo que más se repite en la clase.

- ◼ Mi familia es numerosa, tengo 6 hermanos.
- ● Pues mi familia es monoparental: vivo solo con mi madre.
- ▲ Pues mi familia no es numerosa solo tengo un hijo.

amigo – amiga amante mi chico/a novio/a un ligue	un ídolo jefe – jefa compañero/a de trabajo compañero de clase vecino/a	un/a conocido/a un admirador/a este - estos ese - esos esta – estas esa – esas

5. La gente que nos rodea.

👥 👥 En grupos de cuatro: vais a elegir a la persona más interesante de todas las que vais a presentar a vuestros compañeros de grupo.

1. Cada compañero del grupo va a traer fotos de tres personas importantes de su vida, o va a dibujarlas, una en cada uno de los recuadros siguientes.

¡Si no sabes dibujar no importa, solo necesitas poner algún elemento característico de ella, por ejemplo: el bigote, el pelo rizado, los labios, las orejas…!

2. Y ahora, haced las preguntas necesarias a vuestros compañeros para obtener información sobre cada una de las personas dibujadas.

Estas preguntas os pueden ayudar:

¿Quién es el/la de la derecha/de la izquierda/del centro/del pelo rizado?

¿Quién es este/a? ¿Quién es ese/a? / ¿Y dónde vive? / ¿A qué se dedica? / ¿Y cómo es?

PRIMERA PERSONA	SEGUNDA PERSONA	TERCERA PERSONA

Entre las personas presentadas en vuestro grupo: ¿hay alguna que os interese conocer?

6. La edad de tus compañeros.

Ya sabemos algunas cosas de nuestros compañeros de clase, pero ¿sabes su edad? Vamos a comprobarlo:

> Tener (unos) ___ años.

Cada unó de los compañeros de clase va a decir en voz alta su edad; el resto de la clase tiene que decidir si es **verdad** o **mentira**.
Si es mentira, necesitáis decir la edad que pensáis que tiene vuestro compañero:

- ■ Tengo 3 años.
- ● Mentira, tienes 30 años.
- ■ No, tengo menos.
- ▲ Tienes 28 años.
- ■ Sí.

7. Necesita una pareja.

Vas a trabajar con tus compañeros en grupos de tres.

Alumno A y **Alumno B:** La vida sentimental de tu compañero/a de clase es un poco complicada, tiene muchos amigos y un problema:

> Ha decidido casarse para poder recibir la herencia de su tía-abuela Carlota
> ¡y no sabe con quién! ¿Podéis ayudarle?

Escuchad la información que os va a dar. Vosotros vais a poneros de acuerdo sobre la persona que más le conviene, teniendo en cuenta todo lo que sabéis de él.
¡Atención, tenéis que poneros de acuerdo sobre una misma persona!

Alumno C: Tienes un problema:

> Para recibir la herencia de tu tía-abuela Carlota, tienes que casarte inmediatamente.

Después de hacer una difícil selección entre todas las relaciones que tienes, te quedan cuatro posibles candidatos/as, pero no sabes a quién elegir.
Has decidido preguntar a tus compañeros, porque ellos te conocen bien y pueden ayudarte a elegir.
Vas a enseñarles una ficha de cada candidato/a con la información más importante para ti y una foto para facilitar su decisión.

Pero primero tienes que terminar de completar las fichas:

Candidato/a A	
Dibújalo aquí	Nombre: _____ Edad: 55 Carácter: _____ Profesión: Director/a General de tu empresa. Es una gran multinacional Estado civil: viudo/a Nacionalidad: _____ Relación contigo: amante

Candidato/a B	
Dibújalo aquí	Nombre: _____ Edad: 45 Carácter: _____ Profesión: profesor/a de francés Estado civil: separado/a. Dos hijos gemelos Nacionalidad: _____ Relación contigo: vecino/a

Candidato/a C	
Dibújalo aquí	Nombre:_____ Edad: 18 Carácter: _____ Profesión: cartero/a Estado civil: soltero/a Nacionalidad: _____ Relación contigo: amigo/a

Candidato/a D	
Dibújalo aquí	Nombre: _____ Edad: 33 Carácter: _____ Profesión: artista Estado civil: divorciado/a. Tres hijos de 16, 10 y 3 años Nacionalidad: _____ Relación contigo: amigo/a de tu hermano

- Pues yo elijo para ti a... porque...

- Y yo creo que... no es nada interesante para ti porque...

¿Es una buena elección la de tus compañeros? Di si estás de acuerdo con ellos o no y por qué. ¿Y si sucede a la inversa? Tus compañeros tienen que casarse inmediatamente con uno de estos candidatos: ¿cuál elegirías tú para ellos y por qué?

unidad
6

DE DÓNDE VIENES, ASÍ ERES

OBJETIVOS

- Opinar sobre personas conocidas.
- Elegir un modelo para un anuncio publicitario.
- Comparar a tu jefe con el de tu compañero.
- Hacer una exposición sobre los tópicos de tu país.

1. A mí me parece.

1. 👥 Con un compañero pensad en el nombre de:

- Un político internacionalmente conocido.
- Tu actor/actriz preferido/a.
- La última Premio Nobel de la Paz.
- Un líder religioso.
- Un/a deportista conocido/a.
- Un/a escritor/a de fama internacional.

¿Qué opináis de ellos? Intercambiad vuestras opiniones, ¿pensáis lo mismo?

2. 👥 👥 Buscad una pareja que tenga un personaje en común con vosotros. ¿Tenéis la misma opinión?

Entre los cuatro explicad al resto de la clase lo que pensáis, ellos también van a opinar. Escribid aquí el resultado final con la opinión general sobre el personaje que habéis elegido.

Me parece una persona...	Parece bastante...
Yo creo que es...	Pienso que es...

Según la opinión general de la clase, _____

es una persona _____

_____

_____

_____

_____

_____.

2. ¿Qué te parece el jefe?

Alumno A.

1. Aquí tienes los rasgos físicos y algunas de tus impresiones sobre tu jefe. Tu compañero es nuevo en tu departamento y te pregunta sobre él. Responde a sus preguntas.

- Rubio , alto y un poco gordito.
- Ojos grandes y azules.
- Gafas.
- Barba corta.
- Edad entre 40 y 45 años.
- Siempre con traje y corbata.

- Serio pero simpático.
- Trabajador.
- Un poco impuntual.
- Muy organizado.
- Reuniones solo una vez a la semana.
- Trabajos urgentes frecuentes.

2. Escucha ahora las impresiones de tu compañero después de la primera reunión. Toma nota. ¿Estáis de acuerdo?, ¿en qué?

Alumno B.

1. Eres nuevo en tu trabajo. Antes de conocer al jefe le pides a un compañero que lo describa y que te de su opinión sobre él.

¿Cómo es el jefe?

¿Es muy exigente...?

Puedes tomar notas aquí _____
_____
_____
_____.

2. Después de una reunión con tu jefe tu impresión sobre él es la siguiente:

Muy serio y nada simpático. / Reuniones tres días a la semana. / Muy impuntual. / Trabajos urgentes con frecuencia.

Es más _____ que
Tiene menos _____ que
Es tan _____ como
Tiene tanto/a/os/as _____ como

Coméntalo con tu compañero. ¿Estáis de acuerdo?, ¿en qué?

3. Vamos a comparar a nuestros jefes.

Has hablado de un jefe imaginario. Habla ahora con tu compañero y compara tu jefe con el suyo. No olvidéis hablar de los siguientes aspectos:

Rasgos físicos: altura, peso, etc.

Rasgos del carácter.

Reuniones y trabajos.

Rasgos	Mi jefe	Su jefe

¿Qué jefe es mejor?, ¿en qué aspectos? ¿Te gustaría cambiar de jefe?

4. Buscando modelos.

👥 Tu compañero y tú trabajáis en una agencia de publicidad y buscáis un hombre y una mujer para hacer un anuncio de un yogur.

Alumno A.

Aquí tienes la información de los hombres y de las mujeres, pero no está completa, solo tienes algunos datos.

1. **Completa el cuadro de los hombres con la información que te va a dar tu compañero. Cuidado porque él solo tiene datos comparativos.**

NOMBRE	ALTURA	PESO	EDAD
Carlos	1,90	90Kg	25 años
José			
Javier			
Raúl			
César			
Miguel			

¿Cuánto pesa?
¿Cuánto mide?
¿Qué edad tiene?

2. **Ahora tú tienes el cuadro comparativo con los datos de las mujeres. Responde a las preguntas de tu compañero.**

NOMBRE	ALTURA	PESO	EDAD
Rosa	1,75m	70 Kg	25 años
Teresa	+8cms	-10 Kg	=
Laura	-13cms	-2 Kg	-1 años
Gala	+5cms	+3 Kg	-6 años
Silvia	-3cms	=	+4 años
Beatriz	+7cms	+15 Kg	+9 años

Más... que
Menos... que
Tan/tanto...como
El mismo/la misma
Los mismos/las mismas.

3. **Con todos los datos formad la pareja que físicamente creáis que puede hacer el anuncio.**

¿Coincidís con el resto de la clase? Explicad vuestros argumentos y decidid entre toda la clase la pareja que creáis mejor.

- A mí me parece que Rosa con Raúl va bien porque...

Alumno B.

Tu compañero y tú trabajáis en una agencia de publicidad y buscáis un hombre y una mujer para hacer un anuncio de seguros de vida.
Aquí tienes la información de los hombres y de las mujeres, pero no está completa, solo tienes algunos datos.

1. Tú tienes el cuadro comparativo con los datos de los hombres.

NOMBRE	ALTURA	PESO	EDAD
José	1,90	90Kg	25 años
Javier	-12 cms	+2 Kg	+2 años
Raúl	-5 cms	+2 Kg	-1 años
César	+8 cms	-10 Kg	-6 años
Miguel	+6 cms	-7 Kg	+2 años
Carlos	-10cms	=	+9 años

Más... que
Menos... que
Tan/tanto... como
El mismo/la misma/
Los mismos/las mismas.

2. Completa el cuadro de las mujeres con la información que te va a dar tu compañero. Cuidado porque él sólo tiene datos comparativos.

NOMBRE	ALTURA	PESO	EDAD
Rosa	1,75m	70 Kg	25 años
Teresa			
Laura			
Gala			
Silvia			
Beatriz			

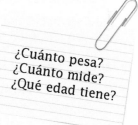

¿Cuánto pesa?
¿Cuánto mide?
¿Qué edad tiene?

3. Con todos los datos formad la pareja que físicamente creáis que puede hacer el anuncio.

¿Coincidís con el resto de la clase? Explicad vuestros argumentos y decidid entre toda la clase la pareja que creáis mejor.

- A mí me parece que Rosa con Raúl van bien porque...

5. De razas y tópicos.

| negro/a | blanco/a | indio/a | mulato/a |

1. ¿Conoces todas las palabras?¿Con qué están relacionadas?

Para ayudarte busca con un compañero la explicación de las siguientes palabras y completa las siguientes definiciones con las palabras del recuadro.

_____ : persona de piel _____

_____ : _____ + _____

_____ : persona de piel cobriza

_____ : persona _____

¿Puedes relacionar cada palabra con la foto correspondiente?

2. ¿En qué países de Hispanoamérica crees que hay mestizos? ¿Y en cuáles negros?

Coméntalo con tus compañeros. Podéis buscar información en la biblioteca y comentarlo el próximo día con toda la clase.

3. ¿Sabes lo que son los tópicos? ¿Cómo crees que son los mejicanos?, ¿y los cubanos?

Lee las siguientes afirmaciones:

Todos los colombianos son muy religiosos

Muchos cubanos son mulatos

La mayoría de los argentinos son orgullosos

Los mejicanos son morenos y llevan bigote

Los españoles son bastante ruidosos

¿Estás de acuerdo? ¿Crees que las personas de tu país piensan lo que dicen las afirmaciones anteriores? ¿Y tus compañeros? Habla con ellos.

Intenta llegar a un acuerdo con toda la clase y escribid una definición de tópico corta y clara. Escríbelo aquí para no olvidarlo:

Tópico es _____

_____

_____.

6. ¿Rompemos tópicos?

Vamos a romper tópicos. Sigue las instrucciones, verás como lo conseguimos.

1. Escucha las siguientes afirmaciones y reacciona.

sta 6

▲ No, no es verdad.

● Pues yo creo que sí es cierto.

2. Haz una lista con las nacionalidades de la clase.

Piensa en un tópico sobre cada una de ellas y escríbelo para no olvidarlo.

Nacionalidad	Tópico

3. Compara con tu compañero, ¿tenéis ideas muy diferentes? ¿Y con el resto de los compañeros?

Toma notas de los tópicos que tus compañeros tienen sobre las personas de tu país y piensa si hay algo de verdad.

4. Prepara una pequeña exposición oral donde hables de los tópicos sobre tu país. No te olvides hablar de:

- Aspecto físico.
- Carácter.
- Actividades típicas, etc.
- De los que pueden ser verdad.
- De los que son falsos.

La mayoria de... Todos los... Algunos...	
(no) son	muy bastante nada

5. ¿Crees que tus compañeros conocen ahora mejor a tus compatriotas? Y tú, ¿conoces mejor a tus compañeros?

Compara tus primeras impresiones sobre sus nacionalidades y la que tienes ahora ¿son iguales?

Buscamos compañero

Estáis en España un mes para hacer un curso intensivo de español.

En grupos de 4, en total tres grupos, los alumnos 1, 2 y 3 tienen la situación A y el alumno 4 tiene la situación B.

SITUACIÓN A

- Buscáis un compañero de piso para este mes que vais a pasar en España.
- Habéis puesto un anuncio en el tablón de la escuela.
- Vais a recibir diferentes candidatos y les vais a hacer una entrevista.

1. Decidid las preguntas que les vais a hacer. Preguntad, por ejemplo, la edad, profesión, situación familiar, lenguas que habla, etc.

Anotad aquí las preguntas y las respuestas de los candidatos.

Pregunta	Candidato 1	Candidato 2	Candidato 3

2. Elegid el mejor candidato y explica el porqué al resto de la clase.

_____

_____

_____

_____.

EVALUACIÓN

SITUACIÓN B

Buscas una habitación en un piso compartido para pasar el mes del intensivo de español.
Mañana empiezas las clases y necesitas esa habitación.
Miras en el tablón de la escuela y ves estos tres anuncios.

Buscamos compañero para compartir piso. C/ Gran Vía, 32, 2º C.
Lunes 30 de 13 a 15 h.

¿Buscas habitación en piso compartido?
¡Ven a vernos!. Avenida de la Constitución, 12, 1º.
Lunes 30 de 15 a 17h.

Si buscas habitación, ya la tienes.
Ven a la calle del Olvido nº 35, 1º D,
el lunes 30 entre las 11h y las 13 h.
¡Verás como te quedas!

1. Vas a ir a las tres entrevistas y vas a contestar a las preguntas de tus posibles compañeros de piso.

Recuerda que necesitas hoy mismo encontrar habitación, el hotel es muy caro y mañana empiezas el intensivo de español.
Adapta tus respuestas para conseguir lo antes posible tu objetivo.

2. Es posible que seas elegido por uno o varios grupos de compañeros para compartir piso. Al final la elección es tuya, ¿cuál eliges tú?, ¿por qué?

Comenta con el resto de la clase las preguntas que creas que son necesarias y no te han hecho, las que crees inútiles, etc.
Tu profesor va a grabar en vídeo o en casete las entrevistas para que lo puedas escuchar después.

3. Vas a hacer una evaluación de la tarea. Para ello señala tu opinión sobre las siguientes capacidades.

	++	+	-	- -
Puedo hablar del carácter de las personas				
Puedo preguntar y responder sobre la edad y la situación familiar				
Puedo responder preguntas relacionadas con mis datos personales, mi carácter y algunas de mis actividades				
Puedo opinar sobre las personas				
Puedo establecer comparaciones entre personas				
Puedo opinar sobre las preguntas que me hacen				

NUESTRA CASA

unidad **7**

OBJETIVOS

- Saber en qué tipo de vivienda viven los compañeros de clase.
- Hablar por teléfono para informarse sobre un anuncio de venta de un piso.
- Amueblar la casa del compañero.
- Decorar la clase y cambiarle el mobiliario.

1. Tipos de vivienda.

1. Aquí tienes las fotos de cuatro tipos de vivienda que puedes encontrar frecuentemente en España.

Con un compañero relaciona los nombres de las viviendas con la foto que corresponde.

chalé adosado   piso en un edificio   casa de pueblo   chalé unifamiliar

2. Y ahora vas a pensar en una de las cuatro fotos y vas a hablar de ella, tu compañero tiene que adivinar cuál es. ¡Cuidado!, solo puedes utilizar frases con ser o estar.

▲ Es grande y está normalmente en una ciudad.
● Ah, es un piso.
▲ No, es más grande...

Después tu compañero va a hacer lo mismo y tú tienes que saber de qué foto está hablando.

2. Otras viviendas.

Hay otros nombres de vivienda, ¿conoces el significado?

cortijo	hacienda	apartamento
departamento	estudio	ático

1. Piensa con un compañero cómo son las viviendas del recuadro.

Anotad aquí vuestras ideas para no olvidarlas.

- Yo creo que cortijo es una casa que está en...

_____

_____

_____

2. Ahora escuchad las explicaciones que dan estos hispanohablantes. Anotad aquí los datos que creáis importantes, ¿coinciden sus explicaciones con las que vosotros habéis dado antes?

sta 7

_____

_____

_____

_____.

3. En tu país, ¿hay los mismos tipos de vivienda? ¿En cuál vives tú? ¿Y tus compañeros?

Pregunta a tus compañeros y completa la tabla.

TIPO DE VIVIENDA EN LA QUE VIVEN	NOMBRE DE LOS COMPAÑEROS	TOTAL
Chalé		
Apartamento/piso		
Casa de pueblo		
Ático		
Chalé adosado		
Otros		

¿Cuál es el tipo de vivienda más frecuente de la clase?

3. Partes de la casa.

1. En todas las casas hay partes diferentes. Aquí tienes algunas.

cocina   baño   salón   comedor   balcón   terraza
jardín   garaje   recibidor   dormitorio   pasillo

¿Cuáles son para ti las indispensables? Habla con tu compañero, ¿coincidís?
Y para toda la clase ¿son las mismas? Poneos de acuerdo y elegid las cuatro partes fundamentales en una casa.

▲ Pues yo creo que el baño, el garaje, la cocina y el salón.
● No, hombre, ¿el garaje fundamental? Yo creo que el dormitorio.
▲ Bueno, vale, pero... el jardín para mí es imprescindible...

Anótalo aquí para no olvidarlo

_____

_____

_____

_____.

4. ¿Dónde hacemos...?

1. Aquí tienes una serie de acciones que podemos realizar en diferentes partes de la casa. Completa la tabla con tu información y la de tu compañero.

▲ ¿Dónde lees normalmente?
● Pues en la habitación.
▲ Pues yo en el baño, es cuando puedo.

Acción	Yo	Mi compañero
Ver la tele		
Dormir la siesta		
Tomar un café		
Estudiar		
Escuchar música		
Leer		
Hablar por teléfono		
Ponerse la ropa		

2. ¿Cuál es la información de tu compañero que más te ha sorprendido?

5. Se vende piso.

Alumno A. Quieres vender tu piso y has enviado a un periódico el siguiente anuncio.

Vendo piso. Buena zona. Espacioso.
Interesados llamar 93 754 13 17

1. Recibes una llamada telefónica de una persona interesada en tu piso.

2. Tras la conversación, ¿crees que le interesa?

Alumno B. Quieres comprar un piso espacioso. Piensa en tus preferencias en cuanto al número de habitaciones, barrio, etc.

1. Buscas en el periódico y lees el siguiente anuncio:

Vendo piso. Buena zona. Espacioso.
Interesados llamar 93 754 13 17

2. Llamas por teléfono al propietario/a y preguntas cómo es la casa y otra información que te interese.

3. Tras la conversación, ¿te interesa el piso? ¿Por qué?

6. Vamos a amueblar.

1. Observa la imagen y comenta con tu compañero ¿no te parece un poco extraña?

Coloca los muebles en su habitación correspondiente.

- ▲ Mira, el sofá está en la cocina.
- ● Si, es verdad, normalmente está en el salón.
- ▲ Pues sí, el sofá en el salón. ¿Y qué me dices de la tele?...

> estar / hay
> ser / estar

2. 👥 Ahora con tu compañero haced una lista con todos los muebles que hay en la casa. Anotadla aquí porque la vais a necesitar después.

7. Vendemos muebles.

¿Recuerdas la lista de muebles del ejercicio anterior?   Elige A o B.

Alumno A. Te vas de la ciudad y quieres vender tus muebles. Ya tienes la lista de todos pero solo quieres vender algunos.

1. **Señala en la lista de la actividad 6.2 cinco muebles. Tienes que decidir los precios. Escríbelos.**

2. **Tu compañero está interesado en comprar muebles. Viene a tu casa y habla contigo de lo que él quiere y de lo que tú puedes ofrecerle. Infórmale del precio también.**

   ▲ Mira, aquí tengo un sofá, es precioso, solo vale 100 euros y es perfecto para un salón pequeño.
   ● Vale, pero yo no necesito un sofá, quiero una mesa...

3. **¿Cuántos has vendido?**

Alumno B. Acabas de llegar a la ciudad y necesitas comprar algunos muebles de segunda mano. Tú tienes una lista de los muebles que necesitas para tu casa, algunos ya los tienes.

1. **Señala en la lista de 6.2 los cinco muebles que deseas comprar.**

2. **Sabes que tu compañero se va de la ciudad y vende algunos de sus muebles. Habla con él para ver si puedes comprar alguno.**

   ▲ Mira, necesito una mesa para la cocina.
   ● Ah, pues yo tengo una pero para el salón, solo vale 100 euros ¿te interesa?...

3. **¿Cuántos has comprado?**

8. Hablamos con el decorador.

Alumno A. Te has comprado un nuevo piso y deseas decorarlo.

1. **Dibuja aquí el plano de tu nueva casa.**

2. **Llama por teléfono al decorador y explícale cuál es la distribución de tu casa.**

Pídele que te decore el salón y que te dé algunas ideas generales para otras partes de la casa.

3. **Ha pasado una semana y el decorador te llama por teléfono y te cuenta sus ideas. Dibuja la distribución de los muebles del salón en tu plano. ¿Qué cambios te parecen bien?**

4. **Comparad los dos planos, ¿son iguales? ¿Y la decoración?**

¿Estás satisfecho? Tomad entre los dos una decisión final para decorar el piso.

Alumno B. Eres un decorador y recibes la llamada de un cliente.

1. **El cliente te va a decir la distribución de su casa. Dibuja el plano en el recuadro de la derecha para tener una idea más clara.**

2. **El cliente te ha pedido decorar solo el salón, piensa bien cómo lo vas a hacer, cómo lo vas a amueblar y con qué otros objetos vas a decorar. Además te ha pedido otras ideas generales para otras partes de la casa. Piensa en ellas.**

3. **Ha pasado una semana, llamas por teléfono a tu cliente y le cuentas lo que has pensado para su casa. ¿Qué cambios le parecen bien?**

4. **Comparad los dos planos, ¿son iguales? ¿Y la decoración? ¿Está satisfecho? Tomad entre los dos una decisión final para decorar el piso.**

9. Decoramos la clase.

La clase de español es nuestra casa. Vamos a decorarla para estar cómodos en ella.

1. 👥 **Con tu compañero, haz una lista de muebles y objetos que hay en la clase. Piensa si podéis conseguir fácilmente otros y añadidlos a la lista.**

2. 👥 👥 **En grupos de cuatro pensad en el lugar donde los podéis colocar. Ponedle un nombre a vuestro grupo. Completad la tabla. Para ello necesitáis formar nuevos grupos de manera que cada grupo tenga un miembro de cada uno de los grupos anteriores.**

3. **¿Coincidís en vuestra forma de decoración? Tomad decisiones para llegar a un acuerdo entre todos.**

Objeto	Lugar que quiere mi grupo	Lugar que quiere el grupo...	Lugar que quiere el grupo...
Mesa del profesor			
Mapa			
Otros			

4. **Y ahora ¡a mover los muebles! Colocad la clase según las decisiones que habéis tomado.**

¿A que os gusta más así?

EN LA CIUDAD

unidad

8

OBJETIVOS

- Hablar de los aspectos positivos y negativos de tu barrio.
- Describir una ciudad.
- Elegir una propuesta del trayecto de una nueva línea de autobús.
- Realizar un test sobre el trayecto de tu casa a la escuela.
- Explicar cómo llegar a tu casa.

1. Crucigrama.

Tienes que completar tu crucigrama con las palabras que faltan. Para ello, pregúntaselas a tu compañero. Él te va a dar las definiciones que necesitas.

- ▲ 2 vertical.
- ● Lugar donde puedes beber una cerveza y comer una tapa.
- ▲ Con tres letras. ¿Bar?
- ● Sí. Ahora yo. 1 horizontal.

Alumno A

	1			2			4	
1	P	A	R	Q	U	E		
				U				
				I				
2				O				
				S				
			3	C	I	N	E	
				O				
4	F	A	R	M	A	C	I	A

Alumno B

	1		2			4	
				B		C	
				A		O	
1	P		R			L	
	A					E	
	N					G	
2	B	A	N	C	O	I	
	D					O	
	E		3				
	R						
	I						
4	A						

2. El barrio.

Aquí tienes el dibujo de un barrio imaginario, Cuestalegre.

1. ¿Puedes encontrar los lugares a los que se refieren las palabras del crucigrama de la actividad 1 en el lugar correspondiente en el dibujo?

Cine

Bar

Quiosco

Colegio

2. ¿Cómo se llaman los otros lugares del dibujo? Habla con dos compañeros.

▲ Esto es una catedral.

● ¿Una catedral? Yo creo que es una iglesia.

■ Sí, es una iglesia. Y al lado creo que está el teatro.

▲ Sí, sí.

3. El dibujo corresponde a un barrio imaginario, pero tiene las características de muchos barrios de ciudades españolas.

Compáralo con tu barrio y piensa en qué cosas son iguales y en qué cosas son diferentes. Anótalo en esta tabla.

Tu barrio		El barrio de tu compañero	
...también tiene...	...no tiene...	...también tiene...	...no tiene...

Después, pregunta a tu compañero y toma nota de sus respuestas.

▲ ¿Tu barrio tiene iglesia?

● Sí, tiene varias. ¿Y el tuyo?

▲ Sí, también tiene varias, pero no tiene ningún teatro.

4. ¿Qué barrio se parece más al del dibujo?

3. ¿Qué cambiarías?

1. Piensa ahora en dos aspectos positivos y dos negativos de tu barrio. Coméntalo con tu compañero.

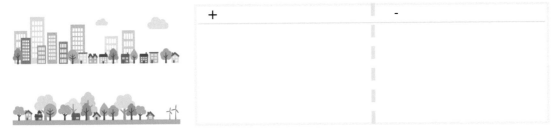

+	-

▲ En mi barrio hay muchas zonas verdes, y carriles para bicis, eso es positivo. Pero hay bastante tráfico y es difícil aparcar.

● Pues en mi barrio...

2. ¿Y qué piensas del barrio del dibujo de la actividad 2.1? ¿Qué cosas positivas y negativas crees que puede tener? Con dos compañeros, elegid el aspecto que os parece más positivo y el más negativo de este barrio.

3. Cada grupo va a exponer su elección. ¿Cuál es el aspecto positivo y negativo que más se repite en vuestras opiniones.

4. Ciudades del mundo.

1. ¿Conoces estas ciudades? ¿Cuáles son?
Coméntalo con tu compañero y pon el nombre
de cada una debajo de la foto correspondiente.

2. Cuando piensas en cada una de ellas, cuál es
la primera frase para describirla que te vie-
ne a la cabeza. Si quieres, completa la tabla y
escribe la frase aquí para que no se te olvide.

Moscú	
La Habana	
Venecia	
El Cairo	
Agra	

3. Entre todos los compañeros de la clase vais a hacer la descripción de estas ciu-
dades.

En turnos, cada uno de vosotros va a decir su frase pero, ¡cuidado!, tienes que estar muy atento porque si uno de tus compañeros ha dicho una frase sobre la misma característica de la que habla la tuya antes que tú, tendrás que pensar y decir otra frase diferente.
El profesor irá tomando nota de vuestras frases o las grabará.

4. Ahora, el profesor va a leer o a reproducir las descripciones que habéis hecho de
las ciudades anteriores.

Escucha bien y comenta con tu compañero cuáles son los aspectos sobre los que se habla y los que más se repiten en cada descripción. Si no se repiten, pensad en cuáles debe tener toda descripción de una ciudad.

▲ Yo creo que siempre se habla de la
situación geográfica.
● Sí, y también de algún monumento o
lugar importante de la ciudad.

Entre todos, decidid cuáles son los aspectos que se repiten generalmente. Haced
una lista en la pizarra.

Generalmente, en las descripciones de una
ciudad se habla de _____

_____

_____

_____.

5. Ahora te toca a ti.

👥 👥 En grupos de cuatro. Cada uno elige una ciudad y hace una descripción de ella. Los compañeros tienen que adivinar de qué ciudad se trata. Para ello, pueden hacer preguntas a las que solo se puede responder sí/no.

En la descripción podéis hablar de todo lo que queráis, pero no olvidéis ninguno de los aspectos que habéis determinado en la actividad 4.3.

- Es una ciudad que está en un país del Norte de África.
- No es una ciudad muy antigua...

6. La línea 13.

El Concejal de Transportes de la ciudad ha proyectado la creación de una nueva línea de autobús urbano en el barrio de Cuestalegre. Como no está muy seguro del recorrido que debe tener y de dónde debe colocar las diferentes paradas, contrata los servicios de dos consultorías especializadas en transportes urbanos.

1. 👥 **Tu compañero y tú trabajáis en una de las consultorías y sois las personas encargadas del proyecto. Tenéis que poneros de acuerdo sobre el recorrido y el lugar de las paradas.**

- Al principio/ al final/ hacia la mitad de la calle/ avenida...
- A la izquierda/ a la derecha.
- En la esquina...
- Al lado/ enfrente/ detrás/ delante de...
- Entre... y...
- En/ por... la primera/ segunda (calle)... a...
- Girar/ seguir/ coger...
- Tiene(s) que...

- ▲ Yo creo que la primera parada tiene que estar en la calle...
- ● Vale, pero al principio de la calle ¿no?
- ▲ Sí, sí, al lado de la Plaza...

2. 👥 **Ahora trabajáis con otra pareja.**

El día de la presentación de los proyectos, tenéis que explicar lo que habéis decidido. También vais a escuchar el proyecto de la consultora rival y vais a anotar en el plano su propuesta.

Ellos van a hacer lo mismo con la vuestra.

3. ¿Los rivales han comprendido bien vuestra propuesta? Comprobad el trayecto que han hecho en el plano, ¿es realmente como el que habéis descrito?

4. ¿Cuál es la mejor propuesta? ¿Qué proyecto creéis que va a elegir el concejal?

- Yo creo que el proyecto... es mejor, porque...

_____

_____

_____

_____

_____

7. ¿Cómo vienes a la escuela?

Cada uno de vosotros vive en partes distintas de la ciudad. Vas a hacer un test a tu compañero para saber cómo es su trayecto hasta la escuela.
Tienes que hacer las preguntas adecuadas sobre los puntos de la siguiente tabla.

▲ Empiezo yo. ¿Cuánto tiempo tardas en venir a la escuela?
● Pues... unos 30 minutos, ¿y tú?

Alumno A		Alumno B	
Tiempo		Medio de transporte	
Medio de transporte		Tiempo	
Tráfico		Atascos	
Compañía		Gente	
Paisaje		Lugares	
Otros		Otros	

¿Cuál es el que hace el trayecto más agradable?

8. ¿Y cómo se va?

Tienes que girar/ coger/ seguir recto/ cruzar...
A la izquierda/ a la derecha...
En la primera/ segunda... calle...

Alumno A. Un compañero y tú queréis estudiar juntos en tu casa.

1. Llámale por teléfono para explicarle cómo llegar.

2. El día que él viene a tu casa, después de trabajar durante bastante tiempo, decidís que vais a veros otra vez para seguir estudiando juntos, pero esta vez en su casa.

Él va a explicarte cómo llegar. Tú toma notas para no perderte.

Alumno B. Un compañero y tú vais a estudiar juntos en su casa.

1. Él te va a llamar por teléfono para explicarte cómo llegar.

Tú vas a tomar notas para no perderte.

2. El día que vas a su casa, después de trabajar durante bastante tiempo, decidís que vais a veros otra vez para seguir estudiando juntos, pero esta vez en tu casa.

Antes de irte, le explicas cómo llegar a la tuya.

NUESTROS PAISES

unidad 9

OBJETIVOS

- Completar un mapa con elementos geográficos.
- Conocer la división autonómica de España.
- Completar un mapa con elementos meteorológicos.
- Describir un lugar para vivir.

1. ¿Dónde está?

Vamos a descubrir el nombre de países por su localización en el espacio.

Uno de vuestros compañeros piensa en un país y el resto de la clase va a hacerle preguntas para adivinarlo. ¡Atención! Vuestro compañero solo puede responder SÍ o NO.

al norte de	al noreste de
al sur de	al noroeste de
al este de	al suroeste de
al oeste de	al sureste de
en el centro	

▲ ¿Está en el Hemisferio Norte?

● Sí.

■ ¿Está en Europa?

● Sí.

❖ ¿Está en el centro de Europa?

● No.

✳ ¿Está al lado del Mediterráneo?

● Sí.

cerca de	continente
lejos de	océano
al lado de	mar
entre... y...	isla
hemisferio	

El que adivina de qué país se trata, le toca pensar en un nuevo país.

2. Latinoamérica.

1. Vas a oír a cuatro tipos de música diferentes. ¿Puedes identificarlos y relacionarlos con algún país hispano?

Pista 8

1. _____. 2. _____. 3. _____. 4. _____.

▲ ¡Ah! ¡La primera es una salsa!

● Pues yo relaciono la salsa con Cuba.

2. Con toda la clase, intentad por turnos describir la situación geográfica de los países hispanos que habéis nombrado. Vuestros compañeros tienen que adivinar de qué país se trata. Podéis describir la situación de algunos más.

▲ Es un país en el sur de América del Sur. Limita al norte con Perú, al este con Bolivia y Argentina. Tiene una costa muy larga.

● ¡Chile!

Para que sea más fácil, podéis ayudaros con el mapa de la página siguiente.

MÉXICO
Ciudad de México
Popocatepetl 5452
GUATEMALA
Guatemala
S. Salvador
EL SALVADOR
Managua
NICARAGUA
S. José
COSTA RICA
PANAMA
Panamá
La Habana
BAHAMAS
Nassau
CUBA
JAMAICA
HONDURAS
Tegucigalpa
Pto. Príncipe
HAITI REP. DOMINICANA
Sto.Domingo
PUERTO RICO
TOBAGO
Bocas del Orinoco
Caracas
VENEZUELA
Georgetown
Paramaribo
GUAYANA FRANC.
Cayena
Meta
Bogotá
COLOMBIA
ECUADOR
I. Galápagos (Ecu)
Quito
PERÚ
Lima
Punta carreta
Chimborazo 6267
BOLIVIA
Illampu 6362
Sajama 6520
La Paz
Altiplano de Bolivia
BRASIL
Brasilia
Río Grande
PARAGUAY
Parana
Asunción
Bermejo
Salado
Ojos del salado 6863
Aconcagua 6959
Santiago
ARGENTINA
Buenos Aires
URUGUAY
Montevideo
Colorado
Río negro
Deseado
Chico
MALVINAS (GB)
GEORGIA
CHILE

3. ¿Y la geografía?

En el mapa se han olvidado de poner el nombre de estos lugares. Poneos en grupos de tres para localizar estos lugares y ponerles el nombre. Utilizad las expresiones de la actividad 1.

El lago Titicaca.
Las cataratas de Iguazú.
El Canal de Panamá.

La cordillera de los Andes.
El río Amazonas.
Tierra de Fuego.

El desierto de Atacama.
El Mar del Caribe.
La isla de la Juventud.

▲ El Lago Titicaca... creo que está en el Sur de América.

● ¿Al este o al oeste?

▲ Al oeste, por Perú.

4. Descubrir España.

1. **España está integrada por 17 comunidades autónomas y dos ciudades autónomas situadas en el norte de África: Ceuta y Melilla.**

   ▲ ¿Sabes cómo se llaman las 17 autonomías?

   ● ¿Cómo se llama la autonomía que está al .... de ....?

Alumno A: Pide a tu compañero la información que te falta para localizar y poner el mapa el nombre de las comunidades autónomas españolas.

Alumno B: Pide a tu compañero la información que te falta para localizar y poner el mapa el nombre de las comunidades autónomas españolas.

2. **Y ahora con tu compañero, ¿habéis estado en España o tenéis información sobre algún lugar o ciudad de este país? Comentadlo e intentad situarlo en el mapa.**

5. Otros datos.

Vas a conocer más cosas sobre España con la ayuda de tu compañero.

▲ ¿Cuál es el/la _____ de España?
● ¿Cuántos habitantes tiene España?

Alumno A: Aquí tienes una ficha con información sobre España, pero no está completa. Necesitas la ayuda de tu compañero. Formula la pregunta adecuada y completa la ficha. También él te va a preguntar a ti.

Nombre oficial: _____ de España.
Superficie: 504.782 Km².
Población: _____ habitantes.
Organización territorial: 17 comunidades autónomas
(divididas en 50 provincias) y dos ciudades autónomas.
Capital: Madrid.
Forma de gobierno: _____ parlamentaria.
Moneda: euro.
Idioma oficial: español.
Idiomas oficiales en sus comunidades: catalán, gallego, vasco.
Densidad de población: _____ habitante por Km².
Esperanza de vida: _____ años y varones 75 años.
PIB (producto interior bruto): _____.€
Religión: libertad de culto.
Tasa media de hijos por mujer: 1,23.

FICHA A

Alumno B: Aquí tienes una ficha con información sobre España, pero no está completa. Necesitas la ayuda de tu compañero: formula la pregunta adecuada y completa la ficha. También él te va a preguntar a ti.

Nombre oficial: Reino de España
Superficie: _____ Km².
Población: 40.847.371 habitantes
Organización territorial: 17 comunidades autónomas.
(divididas en 50 provincias) y dos ciudades autónomas.
Capital: _____.
Forma de gobierno: monarquía parlamentaria.
Moneda: _____.
Idioma oficial: español.
Idiomas oficiales en sus comunidades: catalán, gallego, vasco.
Densidad de población: 81 habitante por Km².
Esperanza de vida: mujeres 82 años y _____ años.
PIB (producto interior bruto): 16.100 e.€
Religión: libertad de culto.
Tasa media de hijos por mujer: _____.

FICHA B

¿Os sorprende alguno de estos datos? Podéis compararlos con los de vuestro país y comentarlos con el resto de los compañeros de la clase.

6. El clima.

Hace	buen tiempo
	mal tiempo
	frío
	calor
Hace/Hay	sol
	viento

Llueve
Nieva
Graniza

1. ¿Conoces los símbolos meteorológicos? Vamos a ver si puedes dibujar cómo se representa:

fenómeno atmosférico	símbolo
lluvia	
niebla	
nieve	
tormenta	

fenómeno atmosférico	símbolo
sol o tiempo soleado	
nubes o nuboso	
cubierto	

Pregunta a tus compañeros para saber lo que ellos han dibujado

2. Vas a trabajar con tu compañero, los dos pensáis hacer un viaje para visitar una ciudad europea y, claro, en vuestra elección es importante saber el tiempo que hace. Tenéis que poneros de acuerdo en el lugar a dónde ir.

¿Cómo/Qué tal hace en …?

Hace/hay… y … grados/grados bajo cero.

Alumno A: Tienes información sobre las temperaturas y el tiempo en algunas ciudades, pero no en todas. Has llamado por teléfono a tu compañero de viaje y ¡qué suerte! él tiene más datos. Pregúntale sobre el clima de las ciudades de las que no tienes información.

Y estas son las temperaturas:

Ciudades	Máxima	Mínima	Ciudades	Máxima	Mínima	Ciudades	Máxima	Mínima
Atenas	15	8	Copenhague	-1	-6	Moscú	-6	-16
Berlín	0	-6	Dublín	6	0	Oslo	-1	-5
Berna	-4	-11	Helsinki	-4	-18	París	0	-3
Bucarest	7	4	Lisboa	12	8			

Alumno B: Tienes información sobre las temperaturas y el tiempo en algunas ciudades, pero no en todas. Tu compañero te ha llamado por teléfono y ¡qué suerte! él tiene más datos. Pregúntale sobre el clima de las ciudades de las que no tienes información.

Y estas son las temperaturas:

Ciudades	Máxima	Mínima	Ciudades	Máxima	Mínima	Ciudades	Máxima	Mínima
Ámsterdam	1	-2	Estocolmo	0	-3	Roma	12	1
Belgrado	-1	-5	Londres	4	-1	Varsovia	-1	-8
Bruselas	4	-1	Madrid	14	2	Viena	-3	-8
Budapest	-2	-6	Praga	-3	-13			

¿Ya sabéis dónde vais a ir a pasar unos días? Comentadlo con el resto de la clase.

7. Las estaciones.

1. Con tu compañero. En Europa hay cuatro estaciones. ¿Podéis adivinar en qué estación están en el mapa de la actividad 6?

Y en tu país, ¿hay estaciones? ¿Puedes describir cómo son y decir cómo se llaman?

> La primavera
> El verano
> El otoño
> El invierno

2. Vas a oír unos sonidos. ¿Con qué estaciones los asocias?

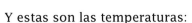

ista 9 1 _____. 2 _____. 3 _____. 4 _____.

3. Ahora, tienes que ponerte de acuerdo con tu compañero. Con qué estaciones asociáis:

sol • tormenta • no hay agua • mal tiempo • nieve • frío • viento • buen tiempo • flores • lluvia • colores rojos.

8. Un lugar para soñar...

1. Piensa en un lugar para pasar unos días, un periódo de vuestra vida o toda la vida.

Puede ser real o no: una isla, una región, un país, un continente... ¡o un planeta! El cuadro te puede ayudar a ordenar tus ideas.

Tipo de lugar: campo, pueblo, ciudad, región...	Clima: estaciones, frío, calor, nieve, lluvia...
Orientación: Norte, Sur, Este, Oeste...	Paisaje: montaña, lago, bosque.

2. Ahora, vas a contar cómo es al resto de tus compañeros de clase. Elegid el lugar que más os interesa.

Si el lugar más votado es imaginario, ¿creéis que podemos encontrarlo en la Tierra?

Un anuncio de la escuela de español

Imaginad que queréis abrir una escuela de español y que vais a hacer un anuncio para su promoción.

👥 👥 Vais a trabajar en grupos de cuatro.

---

1. Entre los cuatro, tenéis que tomar decisiones sobre vuestra futura escuela. Decidid:

- en qué país vais a estableceros.
- en qué ciudad.
- y en qué barrio.

Pensad que el lugar elegido tiene que ser uno del que los cuatro tengáis información.

- ▲ Yo creo que... es una buena ciudad para una escuela de español.
- ● ¿Sí? Pero yo no la conozco. ¿Qué tal...?
- ■ Sí, mejor...

---

2. Ahora, vais a recopilar la información relevante para hacer el anuncio de la escuela. Nos vamos a ocupar de elaborar la parte relativa a la situación y descripción de la academia.

Alumnos A y B.
Tenéis que seleccionar la información relativa al país, a la ciudad y al barrio. Para ello, completad estas tablas.

El país	
Situación geográfica	
Clima	
Otros lugares de interés	
Otros	

La ciudad y el barrio	
Situación geográfica	
Clima	
Servicios	
Medios de transporte	
Ambiente	
Otros	

EVALUACIÓN

Alumnos C y D.
Tenéis que decidir la información relativa a la escuela. Para ello, completad esta tabla.

La escuela	
Número de aulas	
Equipamiento y mobiliario	
Biblioteca	
Cafetería	
Administración	
Otros	

3. Entre los cuatro, tenéis que poner en común toda la información y seleccionar la que os parezca importante para vuestro anuncio.

También tenéis que decidir el orden de la información, a quién va ir dirigido el anuncio, qué estrategias vais a utilizar, quién o quiénes de vosotros va/n a hablar, etc.

4. Ha llegado el momento de rodar el anuncio o de grabarlo. Tu profesor se va a encargar de hacerlo para que después podáis verlo/escucharlo. ¡Acción!

5. Ahora, vais a ver todos los anuncios que se han elaborado en clase. ¿En qué escuela te vas a matricular?

6. Por último, vas a hacer una autoevaluación de la tarea. Para ello, señala tu opinión sobre las siguientes capacidades.

	++	+	−	− −
Puedo hablar del mobiliario y el equipamiento de una escuela.				
Puedo describir una escuela.				
Puedo localizar una ciudad y un país.				
Puedo describir una ciudad y un barrio.				
Puedo hablar de la situación geográfica y clima de un país.				
Puedo seleccionar, ordenar y presentar información sobre lugares.				

NUESTRA VIDA DIARIA

OBJETIVOS

- Hacer la lista de los cumpleaños de los compañeros de clase.
- Comparar tus horarios con los del compañero.
- Completar una tabla con las costumbres comunes de la clase.
- Conocer cómo es un día de trabajo de nuestro compañero.

1. Cumplir años.

1. Aquí tienes dos puzles mezclados. Intenta ordenarlos con tu compañero en dos grupos.

septiembre	sábado	noviembre	febrero	enero	lunes
junio	abril	miércoles	julio	domingo	agosto
viernes	marzo	jueves	mayo	octubre	martes

Y falta una ficha, ¿sabéis cuál es? ¿De qué trata cada puzle?

2. Mira estas fotos del día del cumpleaños de estas personas, ¿qué hacen?

3. Vamos a hacer una lista con los cumpleaños de todos los compañeros de clase. A lo mejor alguien cumple el mismo día que tú. ¡No olvidéis preguntar también a vuestro profesor!

● ¿Cuándo es tu cumpleaños?
▲ Mi cumpleaños es el 9 de noviembre.

Lista de cumpleaños de la clase

Nombre	Día	Mes	Nombre	Día	Mes

Y cuando alguien cumple años, ¿sabéis qué decimos en español?

¡ _____ !
¡ _____ !
¡ _____ !

¿En vuestros países se dice algo parecido? Comentadlo todos juntos.

2. ¿Qué hora es?

Lista 10

1. Vas a oír a una serie de personas que te preguntan la hora. Reacciona contestando adecuadamente.

Tú eres el símbolo •:

1.- ¿?   2.- ¿?   3.- ¿?   4.- ¿?   5.- ¿?
• Sí. ...   • ...   • Sí, ...   • No, ...
• Sí...

3. ¿A qué hora...?

1. Vamos a hablar de horarios de establecimientos y lugares públicos.

Has conseguido una hoja informativa con los horarios de los establecimientos de una ciudad española, pero algunos datos no se ven bien.
Llamas por teléfono a tu compañero y él también tiene la misma hoja, con algunos problemas en la impresión. Entre los dos, intentad completar la información que os falta.

> abre por la mañana/tarde/noche.
> cierra/no cierra a mediodía.
> cierra por la tarde.
> abre/cierra a las....
> abre/cierra de/desde...
>
> a/hasta...
> está abierto/cerrado por...
> está abierto/cerrado.
> de/desde...a/hasta...

4. ¿A qué hora...?

Hoja informativa del **alumno A.**

Horarios de establecimientos   Oficina de Información al Consumidor

Ayuntamiento (oficinas): 8:00h. – 13:00h.
Biblioteca Municipal: __:__h. – __:__h.
Caja de Ahorros: 8:30h. – __:__h.
Correos (oficina central): __:__h. – __:__h.
Consultorio médico: 8:00h. – 14:00h.
Farmacias: __:__h. – __:__h. y __:__h. – __:__h. (otros horarios: ver farmacias de guardia).
Escuela pública: 8:30h. – 13:00h. y 15:30h. – 17:30h.
Piscina Municipal: __:__h. – __:__h.
Pabellón deportivo: 9:00h. – 15:00h. y 16:00h. – 22:30h.
Restaurantes: 13:30h. – 16:00h. y 20:30h. – __:__h.
Tiendas en general: lunes – viernes __:__h. – 14:00h. y 16:00h. – 20:00h.
                          sábados __:__h. – __:__h.
Disco-bares: 20:00 h. – 01:30 h.

Hoja informativa del **alumno B.**

Horarios de establecimientos   Oficina de Información al Consumidor

Ayuntamiento (oficinas): 8:00h. – __:__h.
Biblioteca Municipal: 10:00h. – 20:00h.
Caja de Ahorros: __:__h. – 14:00h.
Correos (oficina central): 8:00h. – 20:00h.
Consultorio médico: __:__h. – __:__h.
Farmacias: 10:00h. – 14:00h. y 16:00h. – 20:00h. (otros horarios: ver farmacias de guardia)
Escuela pública: __:__h. – __:__h. y __:__h. – __:__h.
Piscina Municipal: 11:00h. – 21:00h.
Pabellón deportivo: 9:00h. –15:00h. y 16:00h. – __:__.
Restaurantes: 13:30h. – __:__h. y 20:30h. – 0:00h.
Tiendas en general: lunes – viernes 10:00h. – 14:00h. y__:__h. – 20:00h.
                          sábados 10:00h. – 14:00h.
Disco-bares: __:__h. – __:__h.

● ¿Qué horario tiene la biblioteca?
▲ Abre a las diez y cierra a las ocho. No cierra a mediodía.

1. Observad los horarios, ¿Hay diferencias con los horarios de vuestros países?

▲ Pues en mi país los bancos abren por la tarde.

● En mi país los horarios de los restaurantes son diferentes.

2. Aquí tienes unas fotos de acciones que hacemos habitualmente, ¿puedes identificarlas con la ayuda de tu compañero?

▲ El de la foto 1 lava sus dientes, ¿no?

● Bueno, pero se dice se lava los dientes.

3. 👥 **Vais a oír unos sonidos. Intentad, tu compañero y tú, asociarlos con acciones de la vida cotidiana.**

1. _____   2. _____   3. _____

4. _____   5. _____   6. _____

7. _____   8. _____   9. _____

10. _____   11. _____   12. _____

5. Una de verbos.

Ya conoces muchas acciones habituales.
Ahora, con tu compañero vas a jugar a los verbos con los dados. Tú compañero va a decirte un verbo (acción habitual) en infinitivo. Tú tiras el dado y tienes que decir el verbo en la persona del presente que corresponda al número que indica (si tienes dudas consulta el cuadro de la derecha). Si aciertas, le toca a él tirar el dado; si no aciertas, tienes que volverlo a intentar con otro verbo.
Gana el que menos fallos tenga.

levantarse   nos levantamos

1ª. per. sing: 1
2ª. per. sing: 2
3ª. per. sing: 3
1ª. per. sing: 4
2ª. per. sing: 5
3ª. per. sing: 6

6. Los horarios de tu compañero.

¿A qué hora...? ¿Cuándo...?	(muy/más) a la misma hora	pronto tarde

1. Primero, completa la tabla con tus horarios y, luego, pregunta a tu compañero para conocer los suyos.

	yo	mi compañero
levantarse		
empezar el trabajo o las clases		
terminar el trabajo o las clases		
comer		
volver a casa		
cenar		
acostarse		

2 ¿Coincidís en vuestros horarios?

▲ Él se levanta muy pronto.

● Sí, pero me acuesto a la misma hora que tú.

¿Hay muchas coincidencias? Decídselo al resto de la clase.

7. ¿Con qué frecuencia...?

1. Comenta con tu compañero, ¿qué expresan estas palabras?

casi nunca   nunca   siempre

a veces   casi siempre   normalmente

2. ¿Podéis ordenarlas de la más frecuente a la menos frecuente?

_____ _____ _____ _____ _____ _____

3. Vamos a conocer mejor a nuestros compañeros. Seguro que nos sorprenden.

En parejas.

Alumno A: Pregunta a tu compañero con qué frecuencia hace estas acciones. Si quieres saber algo más de él puedes añadir otras a la lista. Marca su respuesta en la casilla adecuada.

Tu compañero...	Siempre	Casi siempre	Normalmente	A veces	Casi nunca	Nunca
Llevar móvil						
Llevar lentillas						
Ir de copas el sábado						
Desayunar						
Charlar en el ascensor						
Cenar fuera						
Oír la radio en el coche						
Leer periódicos en el metro						
Navegar por internet en el trabajo						
Enviar postales en vacaciones						
Pintarse la uñas						
Observar a los vecinos						
Otras...						

Alumno B: Pregunta a tu compañero con qué frecuencia hace estas acciones. Si quieres, puedes añadir más. Marca su respuesta en la casilla adecuada.

Tu compañero...	Siempre	Casi siempre	Normalmente	A veces	Casi nunca	Nunca
Tomar café después de comer						
Llevar gafas						
Chatear con los amigos						
Ir de compras el sábado						
Echarse la siesta						
Comer en casa de sus padres el domingo						
Ver la tele por la noche						
Leer revistas del corazón en el dentista						
Escribir correos electrónicos para felicitar						
Limpiar la casa el fin de semana						
Ligar en vacaciones						
Roncar						
Otras...						

¿Qué opinas del resultado? Di a tus compañeros de clase que es lo que más te ha sorprendido de la información que te ha dado tu compañero.

4. Ahora, con todos los compañeros de la clase.

¿Hay alguna acción que hacéis todos con la misma frecuencia? Vais a investigarlo. Podéis hacer una tabla similar a esta en la pizarra para ir marcando las respuestas y ver el resultado final.

Nosotros

siempre: _____

casi siempre: _____

normalmente: _____

a veces: _____

casi nunca: _____

nunca: _____

8. ¿Y que hacen ellos?

Con toda la clase.

Uno de vosotros va a elegir una de las profesiones de la lista. Los compañeros van a hacer preguntas relacionadas con la vida diaria hasta adivinar de qué profesión se trata. Tú solo puedes responder sí o no.

¡Y el que acierta es el que va a elegir otra de las profesiones!

cartero	bombero	policía	informático
taxista	cantante	enfermero	pescador

▲ ¿Se suele levantar muy pronto?
● No
▲ ¿Trabaja normalmente fuera, en la calle?
● No
▲ ¿Necesita un ordenador en su trabajo?
● ...

9. Un día en tu trabajo.

En grupos de tres.
Vas a contar a tus compañeros lo que haces habitualmente en tu trabajo. Si eres estudiante, cuéntales lo que haces normalmente en tu centro de estudios.

Para hablar de tu rutina laboral esto te puede ayudar.
Si tus compañeros quieren saber más, pueden preguntarte.

- Siempre llego a mi trabajo a las ocho y media. Primero saludo a las secretarias y recojo mi correo. Después voy a mi oficina, me siento, enciendo el ordenador y empiezo a trabajar. A las once hacemos una pausa para tomar café...

- Pues, normalmente con los compañeros de mi sección... Luego...

¿Hacéis cosas parecidas en vuestro trabajo?

primero
luego/ después
más tarde
al final

¿Dónde...?
¿Cuándo...?
¿Con quién...?
¿Qué...?
¿Por qué...?
¿Para qué...?
¿Cómo...?

NUESTRO TIEMPO LIBRE

OBJETIVOS

- Conocer las actividades del tiempo libre del compañero y la frecuencia con las que las realiza.
- Descubrir los gustos deportivos del compañero.
- Conocer lo que hacen los compañeros en las vacaciones
- Hacer una exposición sobre el tiempo libre y las vacaciones de las personas de tu país.

1. ¿Qué haces en tu tiempo libre?

1. ¿Con qué actividades que aparecen en el cuadro relacionas las siguientes fotos? Habla con tu compañero.

ir al cine/teatro	ir al fútbol	ir de copas
tocar un instrumento	ir a conciertos	salir al campo
salir con amigos	pasear por la ciudad	practicar deporte

▲ Pues yo relaciono la foto 1 con salir de copas.
● Sí, pero también con pasear por la ciudad.
▲ Claro, es verdad, y con salir con amigos.

2. ¿Cuáles de las actividades anteriores haces tú en tu tiempo libre? ¿Y tu compañero? Pregúntale qué actividades de la tabla realiza y con qué frecuencia.

¿Haces deporte?	Una vez/dos/tres... veces a la semana/al mes...
¿Vas al cine/teatro...?	Cada...días
¿Con qué frecuencia vas/haces...?	A menudo
	De vez en cuando. Nunca/casi nunca

Elige A o B
Alumno A.

	una vez/dos/tres... veces a la semana	cada quince días	una vez al mes	a menudo	de vez en cuando	casi nunca/nunca
Ir al cine						
Hacer deporte						
Tocar un instrumento						
Salir con amigos						
Ir a conciertos						
Ver una exposición						
Otras						

Alumno B.

	una vez/dos/tres... veces a la semana	cada quince días	una vez al mes	a menudo	de vez en cuando	casi nunca/nunca
Ir al cine						
Practicar deporte						
Tocar un instrumento						
Ir de copas						
Ir a partidos						
Ir al campo						
Otras						

2. Nos gusta hacer deporte.

1. ¿Cuántos nombres de deportes conoces?

Uno de los compañeros de la clase va a pensar en un deporte. Los otros van a hacerle preguntas para saber de qué deporte se trata.
Preparad antes, entre todos, preguntas relacionadas con la manera de practicarlo. Tened en cuenta los siguientes aspectos:

- Solo o acompañado.
- En equipo.
- Exterior o interior.
- Riesgo.
- Estación del año.
- Se necesita...

> ¿Te/le/les gusta/n...?
>
> - Sí, (me/le/les gusta/n) mucho/muchísimo/bastante...
>
> - No, (no me/le/les gusta/n) mucho/nada

Hacedle las preguntas.

¿Sabéis ya qué deporte es?
El que lo adivina piensa en otro diferente y los demás le preguntan.

2. Vas a hablar con tu compañero sobre sus gustos deportivos y los de algunas personas que se relacionan con él.

Alumno A.

Pregunta a tu compañero y completa la tabla con sus respuestas.

	Tu compañero/a	Su pareja	Su hermano/a	Sus padres	Su mejor amigo/a
Fútbol					
Baloncesto					
Esquí					
Tenis					
Aerobic					
Senderismo					
Deportes acuáticos					

Alumno B.

Pregunta a tu compañero y completa la tabla con sus respuestas.

	Tu compañero/a	Su pareja	Su hermano/a	Sus padres	Su mejor amigo/a
Tenis					
Natación					
Vela					
Balonmano					
Submarinismo					
Ciclismo					
Deportes de riesgo					

3. Y ahora hablad de los deportes de las tablas anteriores que os gustan a los dos, ¿coincidís en muchos?

▲ A mí el tenis me gusta bastante.

● ¿Sí?, pues a mí no mucho, yo prefiero el baloncesto.

3. La agenda cultural.

Alumno A.

1. Tu compañero te la ha enviado por correo electrónico la agenda cultural que ha aparecido en un periódico local.

Como ves algunos datos no se leen bien. Tú le llamas por teléfono para completar la información que te falta.

¿Dónde está...?/¿Qué hay en...?/¿Qué ponen en?/
¿Dónde ponen...?
¿Cuál es el teléfono?/
¿Cuánto vale?
¿A qué hora...?
¿Cómo se llama el espectáculo/restaurante...?

Colegio Mayor Santa Sofía. Avenida de _____.
Proyección de la película *La mala educación* en el ciclo Almodóvar.
21 h. Entrada _____ euros.
Recital de poesía. Ciclo Rafael Alberti. _____ a 19,30 h.
Entrada gratuita.
Círculo de Bellas Artes. Alcalá, 53. 91 556 34 78
Conferencia _____. 20 h, salón de actos.
Salón del automóvil. Palacio de Exposiciones. C/ Juan Carlos I nº 3, pabellón _____.
Entrada 5 euros. _____ por grupos.
Iglesia San Ildefonso. Serrano, 45. 91 576 87 21
Concierto de órgano. 20,30 h. Entrada libre.
Restaurante *La oliva*. Comida mediterránea. Degustación hoy de platos de países del
Mediterráneo: Grecia, _____, etc. Menú 12 euros.
Reservas 93 278 54 94.
El Saxo. Café-concierto. Actuación de jóvenes artistas. Desde la_____. Entrada libre,
consumición mínima 10 euros.
Mercado Medieval. Artesanía. Plaza _____. De 10 a 21h.

AGENDA CULTURAL

2. ¿Qué te gustaría hacer?¿Por qué? Habla con tu compañero.

Alumno B.

1. **Le has mandado por correo electrónico a tu compañero la Agenda Cultural de hoy. Al hacer la fotocopia compruebas que algunos datos no los puedes leer bien. Él también al recibir el correo electrónico tiene problemas para ver bien la información.**

Recibes la llamada de tu compañero para completar la información que os falta.

Colegio Mayor Santa Sofía. Avenida de la Universidad s/n.
Proyección de la película _____en el ciclo Almodóvar.
21 h. Entrada 3 euros.
Recital de poesía. Ciclo Rafael Alberti. 18,30 h a 19,30 h.
Entrad_____.
Círculo de Bellas Artes. Alcalá, 53. 91 556 34 78
Conferencia *Los grados del arte.*_____h, salón de actos.
Salón del automóvil._____. C/ Juan Carlos I nº 3, pabellón 32.
Entrada 5 euros. Reducción por grupos.
Iglesia San Ildefonso. Serrano,45. 91 _____.
Concierto de órgano. 20,30 h. Entrada libre.
Restaurante *La oliva*. Comida mediterránea. _____hoy de platos de países del
Mediterráneo: Grecia, Italia, Túnez, etc. Menú 12 euros. Reservas 93 278 54 94.
El Saxo. Café-concierto. Actuación de _____. Desde las 22 h. Entrada libre,
consumición mínima _____euros.
Mercado Medieval._____. Plaza de la Cebada. De 10 a 21 h.

AGENDA CULTURAL

2. ¿Qué te gustaría hacer?¿Por qué? Habla con tu compañero.

4. Pensamos en las vacaciones.

1. Reflexiona sobre los siguientes aspectos relacionados con tus vacaciones. Después pregunta a tu compañero para tener información sobre sus vacaciones.

	Tú	Tu compañero
Nº de días al año		
Época del año		
Actividades		
Destinos de viajes		
Medio de transporte		
Compañía		
Presupuesto		
Otros		

2. A ver si lo has entendido bien. Repite los datos que te ha dado tu compañero y él va a hacer lo mismo para comprobar si la información que tienes es correcta.

▲ Entonces tienes 22 días de vacaciones y los tomas en verano.

● No, todos en verano no, solo 15 días, el resto en Navidad y Semana Santa.

3. ¿Qué tenéis en común? Decídselo al resto de la clase.

- Nosotros vamos de viaje en verano, pero en...

5. Tus próximas vacaciones.

1. Piensa en tus próximas vacaciones y pregunta a tu compañero para completar la tabla.

	Tú	Tu compañero
Cuándo		
Dónde		
Por qué		
Cómo		
Con quién		
Actividades		
Otros aspectos		

2. Comenta ahora las próximas vacaciones de tu compañero en una rueda con el resto de la clase. ¿Cuáles son las vacaciones más originales? ¿Por qué? ¿Con quién irías tú?

6. ¿Planificamos el ocio? ¿Y las vacaciones?

1. ¿Por qué no respondes a este test?

1.- ¿Planificas con antelación los fines de semana?

Sí ☐   No ☐

(Si tu respuesta es afirmativa) ¿Con cuánta antelacion?

   a) 2 días antes.   b) una semana.   c) más de una semana.

2.- Invitas a un amigo para ir al cine:

   a) una hora antes.   b) un día antes.   c) una semana antes.

3.- Para cenar con amigos en tu casa, los invitas:

   a) el mismo día.   b) una semana antes.   c) un mes antes.

4.- Para cenar en un restaurante:

   a) no reservas.   b) reservas dos días antes. c) reservas una semana antes.

5.- Pides las vacaciones con una antelación de:

   a) un mes.   b) tres meses.   c) seis meses.

6.- Si viajas reservas en una agencia:

   a) unas semanas antes.   b) tres meses antes.   c) seis meses antes.

7.- En el viaje llevas planificado:

   a) el viaje.   b) el viaje y el alojamiento. c) viaje, alojamiento y actividades.

2. ¿Crees que los españoles contestarían este test de la misma manera?

ista 12   Escucha a estos españoles que hablan de su tiempo libre y de sus vacaciones.
           ¿Qué aspectos te han sorprendido más?

3. Y ahora, ¿crees que tus compatriotas contestarían el test como tú o como los españoles que has escuchado?

Prepara una pequeña exposición donde hables del tiempo libre en tu país y de las vacaciones.
Para ello, habla de los siguientes aspectos:

• Actividades del fin de semana.	• Estación del año.
• Antelación en hacer planes.	• Tipo de viajes.
• Frecuencia de las actividades.	• Planificación.
• Lugares de vacaciones.	

Escucha ahora a tus compañeros.

4. ¿Qué es lo que te parece más interesante de las exposiciones que has escuchado?

¿Y SI QUEDAMOS?

OBJETIVOS

- Decidir cómo vamos a simular una conversación en clase.
- Simular una conversación telefónica con un compañero.
- Fijar dos citas en tu agenda de esta semana con dos compañeros.
- Dejar un mensaje en un contestador automático invitando a un amigo a acompañaros a una cita programada para el fin de semana.

1. ¿Dígame?

1. Vas a escuchar diez situaciones diferentes al teléfono. Piensa qué pasa en cada una. Habla con tu compañero.

Pista 13

- Yo creo que en la conversación 1 no hay nadie para responder.
- Sí, yo también. Y en la 2, la línea está ocupada.

2. Comentadlo con el resto de la clase. ¿Estáis de acuerdo? ¿Qué dice el profesor?

2. Al teléfono.

1. A continuación tienes dos conversaciones telefónicas diferentes, pero las frases de una y otra están mezcladas. Tienes que reconstruir las dos conversaciones.

- ¿Sí?
- Hola, ¿está María?
- Muy bien, yo se lo digo.
- Sí, ahora se pone. ¡María!, es para ti.
- Pues... mire, es que en este momento está hablando por otra línea. ¿Quiere dejarle algún mensaje?
- ¿De parte de quién?

Conversación A

- ¿Dígame?
- ¿María? Soy Rodrigo...
- Hola...
- Sí, por favor. Dígale que llamado Eduardo Cejuela, de la Escuela Quevedo.
- Soy Rodrigo, un compañero de clase.
- Buenos días, ¿está el Sr. Sabadíe?
- Gracias, adiós.
- De nada, adiós.

Conversación B

2. Comprueba con tu compañero si tenéis el mismo resultado. ¿Por qué razones las habéis reconstruido así?

▲ Mira, el final de una conversación es "Gracias...," y el otro contesta "De nada...", ¿no crees?

● Sí, es verdad. Pero, al principio...

3. Ahora, vais a escuchar las conversaciones. Comprobad si coincide con vuestra hipótesis, ¿qué reconstrucción os parece más adecuada?

Pista 14

3. ¿Qué están haciendo?

1. Decide con tu compañero qué están haciendo las personas de las fotografías. Después, el profesor os va a preguntar cuántas acciones habéis dicho en cada foto.

▲ La mujer de la foto 1 está hablando por teléfono.

● Sí, y leyendo algo en la tableta, al mismo tiempo.

En clase, ¿quién ha encontrado más acciones?

2. Piensa en cinco personas relacionadas contigo y escribe sus nombres.

Después, dile a tu compañero qué crees que están haciendo en este momento. Él tiene que adivinar quiénes son.

▲ Por ejemplo, Abigail. Creo que está dándole la papilla a mi hijo.

● ¿La papilla? ¿Es tu madre?

▲ No.

● ¿La canguro?

▲ Sí, es la señora que cuida a mi hijo.

¿Habéis pensando en las mismas personas?

4. Cuando hablamos por teléfono

1. Por teléfono, cuando hablas en una lengua extranjera, ¿te parece fácil o complicado? ¿Por qué?

Primero, coméntalo con dos compañeros y, después, explicad al resto de la clase vuestras conclusiones.

A mí me parece muy difícil hablar por teléfono en español.

▲ Sí, siempre es más difícil que hablar con una persona que tienes delante.

● Sí, yo creo que es porque...

2. A continuación, vamos a hacer en clase varias actividades con el teléfono como protagonista. Pero antes, vamos a decidir cómo creéis que podemos realizar las conversaciones telefónicas en clase, manteniendo las dificultades de las que habéis hablado antes. Piensa en ello y haz propuestas al resto de la clase.

▲ Yo creo que no tenemos que estar en la misma aula.

● Sí, pero entonces necesitamos teléfonos de verdad...

Finalmente, entre todos, elegid las mejores propuestas y escribidlas aquí para tenerlas en cuenta a partir de ahora.

En clase, cuando simulamos una conversación telefónica y para que sea lo más real posible,

tenemos que _____

_____.

5. ¿Puedo hablar con...?

1. Ahora vamos a simular que hablamos por teléfono.

Primero, con tu compañero, elegid Alumno A o Alumno B y seguid las instrucciones en cada situación.
Recordad los recursos necesarios para hablar por teléfono, están en el cuadro de la derecha.

Situación 1 — Alumno A Tienes que: - Elegir una foto de la actividad 3.1 e indicársela a tu compañero. - Llamar a tu compañero por teléfono/móvil. - Preguntar por él. - Saludar, identificarte. - Preguntar donde está. - Decir que vas a llamarle en otro momento porque él está ocupado. - Despedirte.	**Situación 1** — Alumno B Tienes que: - Imaginarte que estás dentro de la foto que tu compañero te indica. - Contestar al teléfono. - Identificarte y preguntar quién te llama. - Saludar. - Responder a la pregunta y explicar qué haces en ese momento. - Despedirte.
Situación 2 — Alumno A Tienes que: - Imaginarte que estás dentro de la foto que tu compañero te indica. - Contestar al teléfono. - Identificarte y preguntar quién te llama. - Saludar. - Responder a la pregunta y explicar qué haces en ese momento. - Despedirte.	**Situación 2** — Alumno B Tienes que: - Elegir una foto de la actividad 3A e indicársela a tu compañero. - Llamar a tu compañero por teléfono/móvil. - Preguntar por él. - Saludar, identificarte. - Preguntar donde está. - Decir que vas a llamarle en otro momento, porque él está ocupado. - Despedirte.

2. Ahora, necesitáis ser tres. Pedid a un tercer compañero que trabaje con vosotros.

Situación 3   Alumno A
Tienes que:
- Elegir una foto de la actividad 3A e indicársela a tus compañeros.
- Llamar a tu compañero por teléfono/móvil.
- Preguntar por __X__ (tu decides el nombre), alguien que puede estar con él.
- Reaccionar.
- Despedirte.

Situación 3   Alumno B
Tienes que:
- Imaginarte que tú y el Alumno C estáis dentro de la foto que tu compañero, Alumno A, os indica.
- Contestar al teléfono.
- Reaccionar.
- Despedirte.

¿Sí?/¿Diga?/¿Dígame?...
¿Está...?/¿Puedo hablar con...?
Sí, soy yo/No no está.....
¿De parte de quién?
Un momentito/...

Situación 3   Alumno C
Tienes que:
- Imaginarte que tú eres X.
- Imaginarte que tú y el Alumno B estáis en la foto que vuestro compañero, el Alumno A, os indica.
- Intervenir o no.
- Reaccionar.

3. Para terminar, ¿qué tal habéis hecho las simulaciones? ¿Cuál os parece más difícil? ¿Por qué? Comentadlo con el resto de la clase.

▲ A mí me parece muy difícil seguir las instrucciones y parecer espontánea.

● Pues a mí no, creo que lo difícil es...

6. Mira en tu agenda.

- ¿Por qué no...?/¿Y si...?
- ¿Quedamos para...?
- ¿Quieres/queréis... conmigo/con nosotros?
- ¿Te/os apetece...?
- Vale, ¿a/en...qué/dónde... te viene bien?
- No, lo siento, es que...
- Mejor, el lunes.../en...

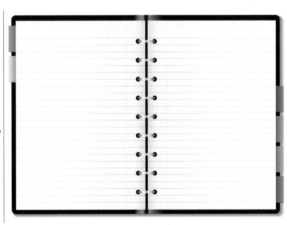

1. ¿Para qué sirve una agenda? ¿Tú la utilizas? ¿Qué cosas escribes en ella?

Coméntalo con dos compañeros.

● Yo no utilizo casi nunca la agenda. Me olvido de apuntar las cosas que tengo que hacer y de leerlas después también.

▲ Ah, pues yo sí. Sin la agenda, no me acuerdo de nada.

◆ Yo solo la utilizo en el trabajo...

2. Seguro que estás muy ocupado esta semana. Escribe en esta agenda todas las cosas que tienes que hacer durante estos días. Pero si no tienes muchas cosas que hacer, puedes inventarte algunas.

	LUNES	MARTES	MIÉRCOLES	JUEVES	VIERNES	SÁBADO	DOMINGO
8:00							
10:00							
12:00							
14:00							
16:00							
18:00							
20:00							
22:00							

3. Ahora, tienes que imaginarte que además esta semana quieres:

- Ir a comprar ropa con un compañero de clase. Decide con quién.
- Estudiar con un compañero para el examen de final de curso. Decide con quién.

Después, a cada uno de ellos tienes que proponerle tu plan y juntos tenéis que fijar una cita para veros. Tenéis que poneros de acuerdo en el día, la hora y el lugar que más os conviene.

▲ Alenka, voy a ir a comprarme ropa. ¿Quieres acompañarme?

● Vale, ¿cuándo vas a ir?

▲ No sé, ¿el martes por la tarde te va bien?

Anotad las citas en la agenda.

4. ¿Has conseguido quedar en las dos situaciones? Cuéntaselo al resto de la clase.

- Yo voy a ir de compras con Alenka, el martes por la tarde, a las...

¿Quién tiene más citas en la clase?

7. ¿Quedamos?

1. Imagina que dos compañeros de la clase y tú queréis quedar este fin de semana. Piensa en las actividades de ocio que tú sabes que hay en la ciudad, para hacerles propuestas. Para ello, completa la siguiente tabla con la información que conoces.

> Voy/vas...a ver/comer/...
> Este viernes/sábado...
> El próximo sábado/...
> El domingo/... que viene

Película	Teatro	Espectáculos
Exposiciones	Excursiones	Otros

2. Ahora, los tres juntos vais a decidir qué es lo que más os apetece hacer, cuándo, y dónde vais a quedar.

- ▲ En el Palacio de Congresos actúa Joaquín Cortés, ¿por qué no vamos?
- ● Es que a mí el flamenco no me gusta mucho ¿Y si vamos a ver la película española del Oscar?
- ◆ Bueno, vale, ¿sabes dónde la ponen?...

3. ¿Tenéis concertada ya la cita? Pues ahora quieres contarle el plan a un amigo para ver si él también se anima a ir con vosotros.

Para ello, vas a llamarle al móvil, pero no contesta y salta el buzón de voz. Déjale un mensaje explicándole el plan; no puedes olvidarte de decirle:

- ¿Con quién has quedado?
- ¿Qué vais a hacer?
- ¿Cuándo?
- ¿En qué lugar os vais a reunir?

- Hola, Carolina. Te llamo porque el viernes por la noche, voy a ir con dos compañeros de clase a...

Tu profesor va a grabar el mensaje para que puedas escuchar cómo lo has hecho.

4. Escucha también los mensajes de otros compañeros que proponen planes diferentes del vuestro. ¿Te gustaría participar en alguno de ellos?

La visita de los amigos

Unos amigos tuyos han decidido venir a visitarte. Llegan el viernes a mediodía y se van el domingo por la tarde. Tus compañeros también van a recibir la visita de unos amigos, por lo que habéis decidido organizar la visita todos juntos.

En primer lugar, os vais a reunir en grupos de tres para planificar las actividades de los tres días. Después, las vais a presentar al resto de la clase. Por último, entre todos, tenéis que encontrar un momento para veros y hacer algo juntos.

1. Entre los tres, tenéis que decidir:

- Cómo vais a ir a buscarlos.
- Qué vais a hacer el viernes.
- Qué vais a hacer el sábado.
- Qué vais a hacer el domingo.

Para que el trabajo sea más eficaz, habéis decidido poner en común la información que tenéis sobre las diferentes actividades que podéis hacer con vuestros amigos durante el fin de semana. Luego, vais a elaborar el programa definitivo.

Lo primero que vais a hacer es decidir un nombre para el grupo. Después, quién de vosotros va a ser **Alumno 1, Alumno 2** y **Alumno 3.**

2. Cada uno va a encargarse de un aspecto.

Los que sois **Alumno 1** os vais a reunir y trabajar juntos para intercambiar información sobre lugares para comer y sitios de ocio.
Podéis tomar notas en esta ficha:

Comidas y ocio

Día	Hora	Lugar	Actividad	Notas

Los que sois **Alumno 2** os vais a reunir y trabajar juntos para recoger información sobre monumentos, museos y exposiciones que os pueden interesar.
Podéis tomar notas en esta ficha:

Museos

Día	Hora	Lugar	Actividad	Notas

Los que sois **Alumno 3** os vais a reunir y trabajar juntos para informaros sobre paseos que podéis hacer por la ciudad con tus amigos y excursiones a ciudades o lugares interesantes fuera de la ciudad. Podéis tomar notas en esta ficha:

Paseos y excursiones

Día	Hora	Lugar	Actividad	Notas

3. Una vez recogidos todos los datos, vais a volver a reuniros con vuestro grupo para poner en común toda la información, elegir las actividades y organizar el plan para el fin de semana.

4. Cada grupo va a presentar al resto de la clase su plan.

El **Alumno 1** presenta las actividades planificadas para el primer día, al **Alumno 2** las planificadas para el segundo día y al **Alumno 3** las del tercer día. Vuestro profesor va a grabar vuestra presentación y la vais a escuchar al final de la actividad.

5. Y, ahora, entre todos, vais a buscar un momento en vuestras agendas para hacer algo en común.

6. Por último, vas a hacer una autoevaluación de la tarea. Para ello, señala tu opinión sobre las siguientes capacidades.

	++	+	−	− −
Puedo proponer actividades de ocio				
Puedo aceptar una propuesta				
Puedo rechazar una propuesta				
Puedo hablar de gustos y preferencias				
Puedo planificar un fin de semana				
Puedo negociar y concertar una cita				

VAMOS DE COMPRAS

unidad 13

OBJETIVOS

- Decidir qué nuevas tiendas son adecuadas para mejorar un centro comercial.
- Una conversación para comprar algo en una tienda.
- Colocar las tarjetas de los precios en un supermercado.
- Seleccionar los productos que te convienen de la oferta de un supermercado.
- Hacer una exposición sobre los hábitos de la gente cuando compra.

1. En el centro comercial.

1. **Hoy es la inauguración del centro comercial "Compras". Habla con tu compañero y decidid en qué tienda venden cada uno de los siguientes productos.**

sales de baño   un reloj   una corbata   una botella de Ribera del Duero

una novela de Vargas Llosa   un ramo de flores   unas sandalias

un peluche   una impresora   un florero

▲ Yo creo que las sales de baño puedes comprarlas en la tienda de regalos, ¿no?

● No sé, ¿tú crees? A mí, me parece que en una perfumería.

2. **Como ves, en el "Compra's" hay cosas que no están terminadas. Algunos trabajadores están colocando todavía los letreros de los nombres de las tiendas. ¿Por qué no les ayudas a decidir en qué tienda tienen que colocar cada letrero? Coméntalo con tu compañero.**

▲ ¿Aromas? Es un buen nombre para una perfumería, ¿no te parece?

● Sí, sí, perfecto. ¿Y El Bouquet?, es una palabra en francés ¿no?

3. Fíjate que en "Compra's" hay dos locales que todavía están vacíos. ¿Qué otras tiendas crees que son necesarias en este centro comercial para que tenga éxito?

Coméntalo con dos compañeros y decidid qué otras dos tiendas pondríais vosotros. No os olvidéis de elegir un nombre para ellas.

▲ Yo creo que hay que poner una tienda de alimentación.

● ¿Un supermercado?

■ ¿Sí? A mí me parece que es un sitio demasiado elegante para un supermercado...

4. Contadle al resto de la clase vuestra decisión.

2. Productos y tiendas.

Vamos a probar tu memoria jugando. Como ya hemos dicho en otra ocasión, en todo juego hay unas normas que respetar. Las nuestras son estas:

👥 👥 Formad grupos de cuatro o cinco compañeros.

Decidid quién va a empezar el juego. El turno irá en el sentido de las agujas del reloj.
El primero elige una tienda del "Compra's". Y comienza el juego diciendo, por ejemplo:
En la joyería puedo comprar un reloj.

El siguiente tiene que repetir la frase y añadir otro producto que venden en esa tienda.

- En la joyería puedo comprar un reloj y un anillo.

Y así sucesivamente.

El que comete un error (olvidar una palabra, decir un producto que no se puede comprar en ese tipo de tienda,...) quedará eliminado.
Comienza con otra serie y otra tienda el compañero que está a la izquierda del eliminado.
Gana el que no comete ningún error.

3. Ir de compras.

> ¿Qué desea/s?/ ¿Puedo ayudarle/ les/ te/ os en algo?
> Sí, por favor, quiero/ quería/...
> ¿Cómo lo/la/... quiere/s...?
> ¿De qué color/ talla/ número/...?
> ¿De cristal/ metal/ madera/ algodón/...?
> Sí,... pero es muy/ demasiado/ un poco... caro/ grande...
> Vale, me lo/ la/.. quedo/ llevo...
> ¿Cuánto cuesta/ vale/n...?/ ¿Qué precio tiene/n...?

1. Piensa en dos cosas que tienes que comprar (ropa, un libro...) y anótalo en tu cuaderno.

Ahora decide a qué tiendas de "Compra's" podrías ir a comprarlas y díselo a tu compañero.

- Yo necesito un carrete de fotos. Puedo ir a comprarlo a TecnoMerk.

Alumno A	Alumno B
Imagina que vas de compras a nuestro centro comercial. Dile a tu compañero en qué tienda vas a entrar. Vas a simular la conversación con el dependiente de una tienda en la que vas a entrar. Para ello tienes que: - Saludar. - Decir qué quieres. - Reaccionar a la pregunta según tus intereses. - Pedir permiso para cogerlo/ probar(te)lo/ mirarlo... - Preguntar por otro tipo de... - Decir tu opinión sobre el/los producto/s. - Preguntar el precio. - Decidir si compras o no, y decírselo al dependiente. - Reaccionar. - Despedirte.	Imagina que eres el dependiente de la tienda en la que va a entrar tú compañero. Vas a simular la conversación con un cliente de la tienda en la que trabajas. Para ello tienes que: - Saludar. - Preguntar qué desea. - Reaccionar preguntando más información sobre el producto que el cliente desea: color, tamaño, material, otras características. - Explicar/ enseñar el producto. - Reaccionar con amabilidad. - Preguntar al cliente su opinión sobre el producto. - Decidir el precio y decírselo al cliente. - Intentar convencer al cliente para que compre. - Reaccionar ante la decisión del cliente. - Despedirte.

2. Con tu compañero, decidid quién va a ser el Alumno A y el Alumno B.

Si eres el Alumno A, recuerda que tienes que ir a las tiendas que has decidido en 3A.
Ahora, el que ha sido el **Alumno A**, será **Alumno B**, y viceversa.

3. ¿Tienes lo que necesitas? Explica al resto de la clase qué has comprado, dónde, cuánto cuesta, cómo es. Si no has podido comprar lo que querías, explícales por qué.

- Yo, un carrete de fotos, de 36 fotos, de la marca Todak, en TecnoMerk, y cuesta
  3 euros con 65 céntimos.

4. En el supermercado.

1. Mira el dibujo del supermercado Ahorro más. Como ves en el dibujo, a esta hora no está abierto, todavía hay que colocar las etiquetas con los precios de los productos de cada sección.

Con tu compañero, decidid quién va a ser Alumno A y Alumno B.

1._____.   5._____.   9._____.   13._____.   17._____.   21._____.

2._____.   6._____.   10._____.   14._____.   18._____.   22._____.

3._____.   7._____.   11._____.   15._____.   19._____.   23._____.

4._____.   8._____.   12._____.   16._____.   20._____.   24._____.

Alumno A.

Tienes las etiquetas de los precios que hay que colocar en el supermercado, pero algunas están incompletas. Pregúntale a tu compañero, él va a darte la información que necesitas.

Tomates _____ €/Kg.	Detergente Tash 9,95 €	Pimientos verdes _____ €/Kg.	Jamón york 7,75 €/Kg.
Papel higiénico 12 2,99 €	Magdalenas 2,41 €/Kg.	Muslos de pollo 3,25 €/Kg.	Pan de molde 2,25 €
Mantequilla _____ €/ 250 gr.	Leche 0,66 €/litro.	Pan 0,59 €	Yogures 8 unidades _____ €
Manzanas 1,35 €/Kg.	Salsa de tomate 0,75 €/ 480 gr.	Atún 1,35 €/ 81 gr.	Chuletas de cordero _____ €/Kg.
Cerveza 0,46 €/ 33 cl.	Huevos 1,28 €/ 6 unid.	Vino de Rioja 6,80 €/ 75 cl.	Suavizante _____ €/litro.
Plátanos 1,15 €/Kg.	Naranjas 3,95 €/Kg.	Azúcar _____ €/Kg.	Queso 12,35 €/Kg.

Alumno B.

Tienes las etiquetas de precios que hay que colocar en el supermercado, pero a algunas les falta el precio. Pregúntale a tu compañero, él va a darte la información que necesitas.

Tomates 2,85 €/Kg.	Detergente Tash 9,95 €	Pimientos verdes 3.45 €/Kg.	Jamón york _____ €/Kg.
Papel higiénico 12 2,99 €	Magdalenas _____ €/Kg.	Muslos de pollo 3,25 €/Kg.	Pan de molde _____ €
Mantequilla 1,89 €/ 250 gr.	Leche 0,66 €/litro.	Pan 0,59 €	Yogures 8 unidades 1,79 €
Manzanas 1,35 €/Kg.	Salsa de tomate 0,75 €/ 480 gr.	Atún _____ €/ 81 gr.	Chuletas de cordero 8,85 /Kg.
Cerveza 0,46 €/ 33 cl.	Huevos 1,28 €/ 6 unid.	Vino de Rioja _____ €/ 75 cl.	Suavizante 1,36 €/litro.
Plátanos 1,15 €/Kg.	Naranjas _____ €/Kg.	Azúcar 0,93 €/Kg.	Queso _____ €/Kg.

2. Ahora, con dos compañeros, ¿por qué no decidís dónde hay que colocar cada etiqueta?

- ■ Yo creo que el número 1 son los tomates, ¿no?
- ● Sí, claro. El detergente tiene que estar en la sección de droguería. ¿Es el número 19?
- ▲ No, el número 19 es...

¿Coincidís con el resto de la clase?

5. Hacer la compra.

1. Fíjate en el título de esta actividad y el de la actividad 3. ¿Qué significa cada una de las expresiones? Coméntalo con dos compañeros.

- ▲ En esta actividad hablan de un supermercado.
- ● Sí, es verdad. Entonces... hacer la compra es comprar comida ¿no?
- ■ Bueno... y...

¿Habéis llegado todos a la misma explicación? ¿Qué dice el profesor?

2. Observa los precios del supermercado Ahorro más. ¿Te parecen caros? Compáralos con los del supermercado donde tú haces normalmente la compra y coméntalo con tu compañero.

- ● A mí me parece que los precios son un poco caros. Por ejemplo, la carne.
- ▲ Sí, y el queso es más caro, pero la verdura es más barata.

3. **A continuación, tienes nombres de envases, cantidades y maneras de presentar algunos productos. ¿Con cuáles asocias cada expresión del cuadro? Coméntalo con tu compañero.**

botella	lata	cartón	docena	paquete
rollo	cuarto de kilo	bolsa	trozo	loncha
barra	bote	pieza	medio kilo	300 gramos

■ Yo creo que se dice una botella de vino, una botella de leche.

● Sí, pero en el dibujo no hay una botella de leche ¿Cómo se llama eso?

Comparadlo con el resto de la clase. ¿Coincidis? ¿Qué dice el profesor?
¿En tu país, estos productos se compran con la misma presentación y en las mismas cantidades?

4. **¿Tienes que hacer la compra? Haz una lista de cosas que tienes que comprar, no olvides especificar las cantidades.**

Explica después a tu compañero cuáles de esas cosas comprarías en Ahorra más y por qué.

■ Yo voy a comprar en "Ahorro Más" dos cartones de leche porque está muy bien de precio.

● Sí, yo también. Y...

6. Cómo, cuándo y dónde...

1. **¿En la clase hay alguien de tu país? ¿De tu ciudad? ¿De tu barrio? O... ¿de tu continente?**

Si la respuesta a alguna de estas preguntas es sí, tienes que sentarte a su lado porque vais a trabajar juntos.
Vais a explicar al resto de la clase cómo son los hábitos de la gente cuando compra en vuestro país / ciudad/...
Para ayudaros, aquí teneis una ficha. Si la vais completando, os puede servir para preparar vuestra exposición.

Lugares	Días	Hora	Productos	Precios	Otros

Decidid cómo vais a organizar la presentación: quién va a hablar, en qué orden, como os vais a repartir la información, etc.

2. **Presentad vuestra exposición al resto de la clase.**

Vuestro profesor va a grabaros para que os podáis escuchar después.
¿Hay muchas diferencias entre los hábitos de unos y otros? ¿Qué pensáis?

NOS GUSTA COMER

unidad 14

OBJETIVOS

- Elegir un horario saludable de comidas.
- Conocer las costumbres de nuestros compañeros en la mesa.
- Elaborar un menú para la comida o la cena de un compañero.
- Componer una receta con los ingredientes que tenemos en casa.
- Hacer una breve presentación de la gastronomía de mi país y explicar una receta de un plato típico.

1. Las horas de las comidas.

desayunar	el desayuno
comer o almorzar	la comida o el almuerzo
merendar	la merienda
cenar	la cena

Las horas de las comidas no son iguales en todos los países. También influye nuestra actividad diaria. Vamos a conocer y comparar nuestros horarios.

1. Completa tu columna con tus horarios habituales.

Después, pregunta a un compañero de otro país o región y con la información que te va a dar, completa su columna.

	Yo	Mi compañero
Desayuno		
Comida o Almuerzo		
Merienda		
Cena		

- ■ ¿A qué hora desayunas?
- ● Yo, a las 6, ¿y tú?

Comparad vuestros horarios. Si hay muchas diferencias, ¿podéis decir por qué?

- ■ Yo desayuno a las 6 porque empiezo a trabajar a las 8.
- ● Yo no desayuno nunca porque no me gusta.

2. ¿Qué sabéis respecto a los horarios de las comidas de los españoles? Comentadlo entre toda la clase

- ■ Los españoles cenan muy tarde.
- ● Y comen a las tres…
- ▲ No, porque mis amigos de Salamanca comen a la una y media.

Para comprobarlo podéis preguntar a vuestro profesor.

3. ¿Y cuál es el mejor horario para la salud? En grupos de tres, vais a decidir cuál es el horario de comidas más conveniente para la salud.

Podéis anotarlo aquí

	Horario
Desayuno	
Comida o almuerzo	
Merienda	
Cena	

4. Ahora, lo vais a presentar a vuestros compañeros de clase. No os olvidéis de razonar vuestra elección.

2. ¿Qué desayunamos?

👥 👤 En grupos de tres.

1. Mira las fotos:

¿Cuál de los desayunos de las fotos se parece al tuyo?
En grupos de tres, comentad lo que soléis desayunar durante la semana y el fin de semana.

- ■ Yo desayuno pan con queso y una taza de té.
- ● Mi desayuno es igual que la primera foto, pero los domingos es como la otra foto.
- ▲ Durante la semana, me gusta desayunar müesli y el domingo tostadas.

3. A la mesa.

Esta es la foto de una familia española que está comiendo.

1. 👥 👤 **En grupos de tres. ¿Podéis identificar los objetos que hay en la mesa?**

Estas palabras os pueden ayudar:

plato	jarra
cuenco	cucharón
servilleta	ensaladera
vaso	cuchara
cuchillo	tenedor

esto
eso
aquello

- ■ Yo creo que la ensaladera es esto que está en el centro de la mesa.
- ● Yo, no sé…
- ▲ Sí, sí porque los españoles suelen comer todos de la misma ensalada.
- ■ Pero solo en familia o cuando comes con los amigos.

2. Imaginad a una familia de vuestro país comiendo ¿hay diferencias respecto a una familia española? Comentad con vuestros compañeros de grupo las similitudes y las diferencias entre vuestros países y España y, después, con toda la clase.

- ■ Mi familia no pone mantel en la mesa.
- ● Y yo, cuando comemos, no pongo servilletas.
- ▲ Pues en mi país no se pone pan…

4. Un menú para ti.

👥 En grupos de dos.

Vamos a conocer los gustos y las preferencias de nuestro compañero sobre la comida para elaborarle un menú.

1. Piensa lo que te gusta o lo que prefieres de lo que hay en cada una de estas fotos.

Después, díselo a tu compañero.

- ■ A mí me gusta el vino.
- ● A mí la cerveza. Pero para comer, prefiero el vino.

Podéis expresar vuestros gustos y preferencias sobre más comidas y bebidas. Aquí tenéis algunas sugerencias:

agua con gas o agua sin gas / vino tinto o vino blanco / zumo o refresco/ verdura o carne

2. Con la información que tienes de tu compañero, intenta elaborar un menú completo para él, puede ser de comida o de cena.

Puedes tomar nota aquí:

Primer plato:
Segundo plato:
Postre:
Bebida:

¿Le gusta? Podéis comentar con el resto de la clase el menú que habéis decidido. Explicad por qué.

6. Con las manos en la masa.

¿Cuáles son los ingredientes?　　¿Qué lleva?　　¿Qué tiene?

1. En parejas. ¿Cómo se llaman los dos platos y la bebida qué veis en la foto?

¿Y qué ingredientes de esta lista llevan?

- ■ La sangría lleva azúcar, porque es dulce.
- ● Y también tiene trozos de fruta.

sal	aceite	huevo
azúcar	vinagre	patata
canela	tomate	pepino
ajo	vino	cebolla
zumo de limón	pimiento	fruta

Podéis tomar nota aquí:

Número 1
Nombre:

Ingredientes:

Número 2
Nombre:

Ingredientes:

Número 3
Nombre:

Ingredientes:

Comprobad el resultado con el resto de la clase. Vuestro profesor os dirá si habéis acertado.

7. ¿Qué cocinamos?

Vamos a dividir la clase en tres grupos que se llamarán: **grupo A, grupo B y grupo C**.

1. **Primero, cada uno de vosotros va a hacer una lista con los alimentos que tiene en ahora mismo en su frigorífico y en la despensa o armarios de la cocina.**

También tenéis que especificar las cantidades.

Después, ¡rotamos!: los alumnos del **grupo A** pasan sus listas a los del **grupo B** y estos a los del **grupo C**, y estos a los del **grupo A**.

2. **Con las listas que os han dado vuestros compañeros, tenéis que elaborar la receta de un plato con la cantidad de ingredientes para que puedan comer todos los componentes de vuestra clase.**

¿Ya habéis terminado?
De nuevo, ¡rotamos!: los alumnos del **grupo A** pasan su receta a los del **grupo B** y estos a los del **grupo C**, y estos a los del **grupo A**

3. **¿Y cómo se llaman las recetas?**

Cada unos de los grupos vais a poner un nombre a la receta que habéis recibido.

4. **Por último, ¿por qué no probar una de ellas?**

Entre todos, podéis elegir una de las recetas e intentar hacerla para comer juntos.

primero
luego/después
más tarde
por último/al final
lavar
cortar
echar
calentar
batir
exprimir
sacar
mezclar
triturar
añadir
dar la vuelta

8. Gastronomía hispana.

 1. Con toda la clase.

Pista 15

Aquí tenéis algunos platos y bebidas típicos del mundo hispano. ¿Podéis relacionarlas con un país o región?

Para ayudaros, vais a escuchar unos segundos de música típica de su lugar de origen.

número	comida	bebida	País o región
	fabada	sidra	
	churrasco	mate	
	enchilada	tequila	
	pescaíto frito	fino	
	cebiche	pisco	
	ropa vieja	ron	

¿Conocéis algo más sobre la gastronomía hispana? Decídselo a vuestros compañeros.

9. Nuestra gastronomía.

Vamos a conocer algo sobre la gastronomía del lugar de procedencia de nuestros compañeros.

1. 👥 Con un compañero que sea de tu país, mejor si es de tu misma región o ciudad.

Vais a poneros de acuerdo para seleccionar dos o tres platos y alguna bebida que sean típicos o representativos de vuestro país o región. Intentad hacer una breve descripción sobre cada uno de ellos.

Podéis tomar nota aquí:

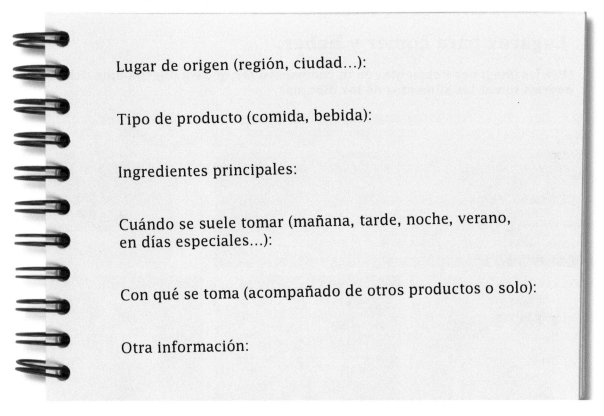

Lugar de origen (región, ciudad...):

Tipo de producto (comida, bebida):

Ingredientes principales:

Cuándo se suele tomar (mañana, tarde, noche, verano, en días especiales...):

Con qué se toma (acompañado de otros productos o solo):

Otra información:

2. Elegid uno de ellos. Ahora, vais a elaborar la receta.

Tenéis que tener en cuenta:

- Número de personas
- Ingredientes y cantidades
- Proceso de elaboración
- Sugerencias al servir
- Bebida de acompañamiento

3. Vais a hacer la presentación al resto de la clase.

Uno de vosotros hablará sobre el punto A y el otro sobre el punto B. Comienza la exposición del punto A. Una buena idea es dibujar un mapa de vuestro país o región y marcar el lugar de donde proceden los platos y bebidas que vais a presentar.

Vuestro profesor os va a grabar y, así, podéis escucharos después.

VAMOS A COMER

unidad 15

OBJETIVOS

- Descubrir nombres de establecimientos para comer y beber en el mundo hispano.
- Elegir un establecimiento para ir con personas diferentes.
- Simular reservar por teléfono una mesa en un restaurante.
- Simular una situación en un restaurante.
- Hacer una exposición sobre los locales y las costumbres relativas a las comidas, bebidas y sobre la propina, entre las personas de nuestro país.

1. Lugares para comer y beber.

1. Mira las imágenes y comenta con tu compañero ¿en qué establecimiento del cuadro podrías tomar los alimentos de los dibujos?

hamburguesería	bar	bocadillería	cafetería
cervecería	tasca	pub	restaurante

- ■ Yo creo que el bocadillo en la bocadillería.
- ● Sí, pero también en un bar, o en una tasca...
- ■ ¿Tasca? Y ¿qué significa tasca?
- ● Hombre, pues como un bar pero...

2. ¿En qué momento del día puedes tomar los alimentos y bebidas que ves en las imágenes? Coméntalo con tu compañero.

- ● ¿El bocadillo?, para comer, sobre las 13,30 h.
- ■ Sí, yo también, pero el café con los churros, ¿eso cuándo se come?

3. ¿Creéis que un español lo tomaría en el mismo momento?

Leed estas declaraciones de cuatro españoles y comentad lo que más os sorprende. Es información que podéis añadir a la que ya tenéis sobre los horarios de comidas de los españoles.

¡¡Mmm!!, un bocadillo a media mañana es estupendo para recuperar fuerzas y seguir trabajando.

El ron, por la noche, cuando sales con amigos. Pero una cerveza o sangría para acompañar unas tapas, para comer o para cenar.

La paella... sin duda para comer mejor en casa y el domingo.

El café con el pincho, para desayunar, bueno, o como merienda sobre las seis de la tarde.

4. ¿Qué información nueva tenéis?

2. Otros nombres del mundo hispano.

ta 16

1. Escucha a unos hispanohablantes que nos hablan de los establecimientos donde se puede comer. ¿Hay algunos nombres nuevos? ¿Cuáles? Señala en esta lista los que no oigas.

paladar	chiringuito
sidrería	arepería
marisquería	horchatería

2. ¿Con qué países relacionas los nombres de arriba? Coméntalo con tu compañero.

▲ La sidrería, con España.

● Pues sí, viene de sidra, ¿recuerdas?

3. ¿Podéis explicar las diferencias entre estos establecimientos?. Anotadlo aquí y después vuestro profesor os dirá si vuestras hipótesis son verdaderas o falsas.

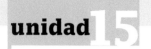
3. ¿Dónde irías con...?

1. Tras las actividades 1 y 2, ya conoces muchos nombres de lugares donde se puede comer y beber. Decide dónde puedes llevar a estas personas y por qué. Luego pregunta a tu compañero y completa la tabla con sus respuestas.

Con...	Iría a...	Mi compañero iría a...
Un niño de 10 años		
Compañeros de trabajo		
Un amigo		
Una persona que no conozco mucho		
El jefe		
Un cliente		
Una persona a quien quiero impresionar		

▲ Con un niño lo mejor es ir a una bocadillería, para merendar, por ejemplo.

● No, mejor a una hamburguesería, a todos los niños les gustan las hamburguesas...

2. Ahora con otra pareja elegid a una persona de la lista anterior y poneos de acuerdo en cuál es el sitio más adecuado para ir con él.

▲ Yo creo que, con el jefe, mejor ir a un buen restaurante.

● Sí, pero ¿a cuál?, ¿a una sidrería o a una marisquería?

■ Pues mejor a un mesón típico, para beber sangría...

4. Cuando vamos a un restaurante...

1. Piensa para qué vas a un restaurante y lo que haces antes de ir. Coméntalo con un compañero.

A lo mejor os pueden ayudar estos aspectos:

- para...
- con quien.
- tipo de restaurante.
- reserva.

2. Cuando llegas a un restaurante, ¿qué es lo primero que pides?

Después ¿qué haces?
Anótalo aquí con tu compañero. Estos recursos te van a ayudar para las actividades de simulación que vas a hacer después.

Cuando vamos al restaurante, nos sentamos y pedimos la carta, después...

_____

_____

_____

_____

_____.

5. Vamos a reservar.

Elige **A** o **B**

¿Recuerdas las condiciones para hablar por teléfono pactadas en el módulo 4? Ahora debes simular una conversación telefónica.

> Quería reservar...
> ¿Dónde está...?
> ¿Para cuántas personas?
> ¿A nombre de quién, por favor?
> ¿A qué hora quiere/abren/cierran...?
> Vale, de acuerdo/lo siento, pero...

Alumno A.

Quieres ir al restaurante La Dorada el próximo sábado. Sois seis personas y queréis cenar a las 21h.

Llamas al restaurante para reservar.

1. **Pregunta el precio del menú degustación.**

2. **Pregunta a qué hora cierran.**

3. **Reserva una mesa para los seis a tu nombre.**

Anota los datos aquí.
Sábado_____, a las _____ a nombre de _____ .
Dirección exacta del restaurante_____ .

4. **Recibes un mensaje en tu móvil que dice que reserves a las 21,30 porque algunos no pueden llegar antes. Llamas para cambiar la hora, ahora quieres reservar para las 21:30h.**

¿Tienes algún problema? ¿Puedes reservar finalmente?

Alumno B.

Trabajas en el restaurante La Dorada, C/ Orense, 5. Madrid. Abierto de 11h a 1h. Los lunes, cerrado por descanso.
Precio menú degustación 25 euros.

El sábado dispones de 3 mesas libres entre las 21h y las 21:30h:
Mesa 1. Libre entre las 20:30 y las 21:30. Para dos personas.
Mesa 2. Libre a las 21:30. Para ocho personas.
Mesa 3. Libre a las 21h, para 6 personas.

Eres el encargado de tomar las reservas por teléfono. Responde a tu cliente.

1. Pregúntale el número de personas y la hora.
2. Pregúntale el nombre.

Anótalo aquí.

Día _____.
Nombre _____.
Mesa _____.
Hora _____.

3. El cliente te vuelve a llamar porque no puede venir a la hora acordada y te pide que le cambies la reserva. Intenta solucionar el problema.

    ¿Cuál es la que has encontrado?

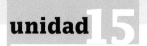
6. ¿Me trae...?

🎧 **1. Vas a escuchar unas frases. Reacciona en voz alta.**

Pista 17

1. _____ 2. _____ 3. _____

4. _____ 5. _____ 6. _____

¿Me trae la carta/cuenta, por favor?   ¿Me trae otro/a...?   Por favor, más...
De primero/de segundo/de postre...   Para beber...

---

2. ¿Tu compañero ha reaccionado igual? Comparad vuestras respuestas.

7. Cenamos en La Dorada.

Decide con un compañero quien es alumno A y quien alumno B.

Alumno A.
Vas a cenar solo en el restaurante La Dorada

1. Después de sentarte, pides la carta.
2. Esta es la carta, piensa lo que vas a pedir.
3. Habla con el camarero y dile lo que has elegido.
4. Durante la comida te das cuenta que necesitas pan y otra botella de vino. Llama al camarero y pídeselo.
5. Pídele la cuenta.
6. Pregunta si puedes pagar con tarjeta.
¿Te ha gustado el servicio?¿Por qué?

La Dorada
RESTAURANTE

Entradas:
Sopa de pescado, calamares a la romana, espárragos con mayonesa y raciones: lomo ibérico, queso manchego, etc.

Carnes:
Solomillo a la pimienta, filete de ternera a la plancha con guarnición, escalope con patatas.

Aves:
Pollo asado, escalope de pollo con verduras.

Postres:
Flan, fruta del tiempo, arroz con leche, helado, crema catalana.

Bebidas:
Refrescos, agua mineral (con / sin gas), vino, cerveza.

Menú degustación:
Sopa de pescado
Fritura de pescado, gambas al ajillo, calamares a la romana y dorada a la plancha, 25€

Alumno B.
Eres el camarero del restaurante La Dorada. Vas a atender a un cliente que está en una mesa.

1. Le das la carta y, después de unos minutos, anotas lo que pide en tu libreta.
2. Vas cuando te llama y llevas lo que te pide. Le preguntas qué quiere de postre.
3. Les das la cuenta y le informas de que se puede pagar con tarjeta.
4. Te despides dándole las gracias.

¿Crees que el cliente se ha ido contento del servicio?¿Por qué?

8. ¿Y la propina?

1. ¿Sabes qué significa la palabra propina? Coméntalo con dos compañeros para ver si entre los tres llegáis a una explicación clara.

- ▲ ¿Propina? ¿Qué significa?
- ● Pues no sé, algo que tiene relación con el restaurante pero no sé...
- ● Propina, propina, ah, pues a lo mejor es la cuenta, no sé...

2. Ahora con todos los compañeros vais a poner en común vuestras hipótesis.
¿Cuál os parece la más lógica?
Vuestro profesor os va a explicar qué significa, así vais a ver si vuestras hipótesis son verdaderas o falsas. ¿Habéis acertado?

3. Completa la tabla con tu compañero:

Dejamos propina en...	Yo	Mi compañero	¿Cuánto?
Un bar al que vamos frecuentemente			
Un bar al que entramos por primera vez			
Un restaurante popular			
Un restaurante de lujo			
Un pub			
Una discoteca			
Otros lugares (taxi, hotel...)			

4. Y ahora el profesor te va a hablar de cuándo, dónde y cuánto se suele dejar propina en España. Escucha bien. ¿Es diferente a lo que hacéis tu compañero y tú?

9. ¿Me recomiendas un restaurante?

1. Completa la tabla con tu menú favorito y luego pregunta a tu compañero.

	Yo	Mi compañero
De primero		
De segundo		
De postre		
Para beber		

2. Según sus respuestas, recomiéndale un restaurante de la ciudad donde vivís. Escucha también sus recomendaciones.

- A ti que te gusta el pescado, lo mejor es ir a un restaurante del centro que se llama.....

3. ¿Podéis ir juntos a alguno de los dos restaurantes que habéis sugerido? ¿Por qué?

10. En mi país...

1. Busca un compañero de tu misma ciudad, de tu país o con el que compartas el conocimiento de un país.

2. Preparad una exposición en la que habléis de los siguientes aspectos:

- Diferentes tipos de restaurantes y establecimientos donde se puede comer y/o beber.
- Tipos de personas que los frecuentan / Horarios de estos locales.
- Tipos de comidas y bebidas que se suelen servir y que aparecen frecuentemente en la carta.
- Normas sobre la propina.
- Un restaurante que os gusta: dónde está, cómo se llama, cuál es su especialidad y por qué os gusta.

La fiesta de fin de curso

Vamos a organizar una fiesta de fin de curso. Como en todas las fiestas, la música, la comida y la bebida no pueden faltar. Vamos a organizarnos para que la fiesta sea un éxito.
Además ¡vamos a hacer regalos!
Lee bien las instrucciones y verás qué bien nos sale.

1. Los regalos.

1. Como es imposible hacer un regalo a cada compañero, vais a hacer el juego del amigo invisible, ¿lo conoces?

Cada alumno escribe su nombre en un papel, lo dobla y lo mete en una bolsa que tiene el profesor. Después, coge de la misma bolsa un papel con uno de los nombres de sus compañeros. Ese es su amigo invisible y le tiene que hacer un regalo el día de la fiesta.
¿Lo tienes claro? Pregunta a tu profesor si tienes dudas.

2. Ya sabes quien es tu amigo invisible, pero regalar es siempre difícil por lo que vais a elaborar un test para saber los gustos de los compañeros.

Piensa en qué preguntas son útiles para poder elegir un regalo.
Te puede ayudar:
¿Qué tipo de música en español te gusta?
¿Te gusta ver vídeos en casa? ¿Y leer?
Entre todos vais a elegir entre cinco y diez preguntas y las vais a escribir en la pizarra.

3. 👥 En parejas. Busca a un compañero y hazle las preguntas de la pizarra. Él va a hacértelas también.

Después en una rueda con toda la clase, vais a hablar de los gustos del compañero.
Presta atención cuando sea el turno de hablar de los gustos de tu amigo invisible.
¿Ya sabes qué regalo comprar?
👥 👥 En grupos de cuatro, ponedle un nombre al grupo y decidid quien es el **alumno 1**, **alumno 2**, **alumno 3** y **alumno 4**.

2. La música.

Los **alumnos 1** os reunís para poner en común información sobre la música que queréis poner el día de la fiesta: de España, Hispanoamérica, de diferentes lugares, etc.
Cada alumno anota las sugerencias de los demás para después informar a su grupo.

3. La comida.

Los **alumnos 2** os reunís para poner en común información sobre la comida que queréis comer el día de la fiesta. Vais a hacer un bufé y pensáis qué platos fríos y calientes no pueden faltar.
Cada alumno anota las sugerencias de los demás para después informar a su grupo.

4. La bebida.

Los **alumnos 3** os reunís para poner en común información sobre la bebida que queréis beber el día de la fiesta. Tened en cuenta las costumbres de vuestros compañeros, el equilibrio entre las bebidas con y sin alcohol, las frías y/o calientes.
Cada alumno anota las sugerencias de los demás para después informar a su grupo.

5. Otros aspectos.

Los **alumnos 3** os reunís para poner en común información sobre otros aspectos para el día de la fiesta.

Os puede ayudar:
- el lugar y la hora. Si es en la escuela, pedir permiso, etc
- platos, vasos, etc, que necesitáis y dónde conseguirlos.
- equipo de música.
- otros.

Cada alumno anota las sugerencias de los demás para después informar a su grupo.

6. ¡Vamos a organizar una fiesta!

Cada alumno vuelve a su grupo inicial, al que habíais puesto nombre y, ahora sí, vamos a organizar la fiesta.

1. Poned en común la información que habéis conseguido en las reuniones anteriores. Vais a hacer vuestro proyecto de fiesta para presentarlo al resto de la clase. Para ello, completad la siguiente tabla:

	Tipo	Alumnos de la clase encargados	Por qué
Música			
Comida			
Bebida			
Varios			

2. Cada alumno va a presentar un aspecto de vuestro proyecto al resto de la clase. Vuestro profesor os va a grabar en vídeo o casete para poderos ver o escuchar después.

Alumno 1.- Los aspectos varios (punto 5).
Alumno 2.- La música (punto 4).
Alumno 3.- La comida (punto 3).
Alumno 4.- La bebida (punto 2).

3. ¿Qué proyecto os parece el mejor?¿Por qué?

7. Por último, vamos a hacer una autoevaluación de la tarea. Para ello, señala tu opinión sobre las siguientes capacidades y coméntalo, si quieres, con el resto de la clase.

	+	++	–	– –
Puedo preguntar y responder sobre gustos				
Puedo elegir un regalo para un compañero				
Puedo negociar y decidir el tipo de música para una fiesta				
Puedo organizar un bufé con comida y bebida				
Puedo decidir los objetos necesarios para comer, beber, etc, en una fiesta				
Puedo elegir entre varias propuestas la mejor y argumentar por qué				

SOLUCIONES
Y
TRANSCRIPCIONES

SOLUCIONES

Unidad 1

2. 1

12:00_buenos días   3:45_buenos días/buenas noches
18:30_buenas tardes   23:15_buenas noches
20:15_buenas tardes   7:00_buenos días

2. 2

Foto 1: Hasta mañana/Adiós.
Foto 2: Buenos días/Buenas tardes.
Foto 3: Hola/Hola, ¿qué tal?/ Hola, ¿qué tal estás?
Foto 4: Hasta luego/Adiós.

3. 2

Situación A: En el trabajo.
Hablan: el director de la escuela; el señor Molina, es el nuevo secretario y tú, eres la profesora Rosa Muñoz.

▲ Buenos días, señora Muñoz. ¿Qué tal está?
■ **Muy bien/Bien, ¿y usted?**
▲ Bien, gracias. Mire, le presento al señor Molina, el nuevo secretario. La señora Muñoz.
■ **Encantada.**
● Mucho gusto.

Situación B: En la calle.
Hablan: Tu amigo Pepe, tú que te llamas Paco y Pili, compañera de Pepe.

▲ ¡Hola, Paco! ¿Qué tal estás?
■ **Bien, ¿y tú?**
▲ Muy bien. Mira, esta es Pili, una compañera de clase. Y este es Paco, un amigo.
■ **Hola, ¿qué tal?**
● ¡Hola!

Situación C: En el centro de idiomas.
Hablan: Santiago, estudiante de chino y tú, estudiante de español

▲ Hola, ¿qué tal?
■ **Muy bien/Bien, ¿y tú?**
▲ ¿Cómo te llamas?
■ **Yo soy (dices tu nombre).**
▲ ¿Y el apellido?
■ **(dices tu apellido) Me llamo (dices tu nombre y apellido). ¿Y tú?**
▲ Yo me llamo Santi. ¿Y de dónde eres?
■ **Soy de (dices el nombre de tu país).**
▲ Yo soy español. ¿Tomamos un café?
■ **Sí/No, gracias.**

4. 1

1. pizarra, 2. televisión, 3. mesa, 4. silla, 5. ventana, 6. puerta, 7. tablón, 8. altavoz, 9. armario, 10. libros, 11. reloj, 12. lápices.

5. 3

Nombre	Nacionalidad
David Carlo	Boliviano
Rigoberta	Guatemalteca
Juan Luis	Dominicano
Raquel Beatriz	Uruguaya
Salvador	Chileno

Unidad 2

4. 1
1.- Más despacio, por favor/ ¿Cómo?, no entiendo.
2.- No entiendo.
3.- Más alto, por favor/ ¿Qué significa **una caña**?
4.- ¿Cómo se escribe **reloj**?/ ¿Cómo se dice **reloj** en mi lengua?
5.- Más alto, por favor.
6.- ¿Cómo?, no entiendo.
7.- Más bajo, por favor.
8.- ¿Cómo se escribe?/ Repite, por favor.

5. 1
1.- gracias.
2.- por favor.
3.- perdón.
4.- por favor.
5.- de nada.
6.- lo siento, perdón.
7.- de nada.

5. 3
*Cuando pido un favor a otra persona digo **por favor**.*
*Cuando otra persona me hace un favor a digo **gracias**.*
*Cuando hago algo que no es correcto digo **perdón**.*
*Cuando una persona me dice gracias digo **de nada**.*

7. 3
PARA + INFINITIVO
PORQUE + VERBO CONJUGADO
POR + DETERMINANTE +SUSTANTIVO

Unidad 3

4. 1
Ejercicio A
1. Rey Felipe VI, 2. Papa Francisco, 3. Javier Bardem, 4. Leo Messi, 5. Shakira

Unidad 4

3. 1

Alumno A

		B			M				
	V	I	E	J	O				
		G			R				
		O			E				
		T			N				
	D	E	L	G	A	D	O		
O	J	O	S	A	Z	U	L	E	S

Alumno B

O	J	O	S	M	A	R	R	O	N	E	S
									T		
		G							R		
		J	O	V	E	N			O		
				R							
						D			O		
							I		L		
							T		E		
		C	A	S	T	A	Ñ	A	P		

3. 2

El diminutivo que aparece es **gordita**.
Este diminutivo tiene carácter afectivo y se utiliza para disminuir el matiz peyorativo que tienen determinados adjetivos como gordo/ bajo/ calvo, etc.

5. 1

Alumno A: 1. blanco; 2. azul, negro, rojo, amarillo y verde; 3. azul; 4. roja 5. azul claro y blanco.
Alumno B: 1. azul y grana(te); 2. azul y amarillo; 3. marrón y blanco; 4. blanca y roja; 5. rojo y amarillo.

6. 1

1. gafas, 2. bolso, 3. vestido, 4. botas, 5. camisa, 6. zapatillas, 7. pantalón / pantalones, 8. cinturón, 9. jersey, 10. bufanda, 11. guantes, 12. gorro

Unidad 5

2. 1

1-d; 2-f; 3-h; 4-e; 5-l; 6-b; 7-j; 8-i; 9-g; 10-a; 11-c; 12-k; 13-m.

4. 2

Foto 1- Familia numerosa.
Foto 2- Familia monoparental.
Foto 3- Pareja homosexual.
Foto 4- Pareja sin hijos.

Unidad 6

5. 1

Negro/a: persona de piel negra.
Mulato/a: negro/a +blanco/a.
Indio/a: persona de piel **cobriza**.
Blanco/a: persona de piel **blanca**.

Foto 1- negro.
Foto 2- blanca.
Foto 3- mulato.
Foto 4- india.

Bloque 3

Unidad 7

1. 1
Foto 1.- casa de pueblo.
Foto 2.- chalé unifamiliar.
Foto 3.- chalé adosado.
Foto 4.- piso en un edificio.

6. 1
El sofá en el salón.
El armario con ropa en el dormitorio.
La mesa con sillas en el salón.
La lavadora en la cocina/ en el baño.
La tele en el salón.

6. 2
Perchero, armarios, sofá, sillón, mesas, sillas, mesilla de noche, cama.

Unidad 8

1.
Horizontales. 1. parque; 2. banco; 3. cine; 4. farmacia.
Verticales. 1. panadería; 2. bar; 3. quiosco; 4. colegio.

4.1
Foto 1: Moscú. - Foto 2: La Habana. - Foto 3: Venecia. - Foto 4: El Cairo. - Foto 5: Agra.

Unidad 9

2. 1
1. - Salsa - Cuba; 2. - Tango - Argentina; 3. - Ranchera - Méjico; 4. - Música andina - Perú.

3.

7.2
1. Verano; 2. Invierno; 3. Primavera; 4. Otoño.

7.3
Verano: sol - no hay agua. Primavera: buen tiempo - flores. Invierno: tormenta - mal tiempo - nieve - frío - lluvia. Otoño: colores rojos - viento

Bloque 4

Unidad 10

1. 1
1º puzle: meses del año- enero/ febrero/ marzo/ abril/ mayo/ junio /julio/ agosto/ septiembre/ octubre/ noviembre.
2º puzle: días de la semana- lunes/ martes/ miércoles/ jueves/ viernes/ sábado/ domingo.
La pieza que falta es la del mes de diciembre.

1. 3
¡Felicidades!
¡Feliz cumpleaños!
¡Muchas felicidades!

4. 2
Foto 1- lavarse los dientes.
Foto 2- peinarse.
Foto 3- vestirse.
Foto 4- estudiar.
Foto 5- comer / desayunar.

4. 3
1.- despertarse; 2.- ducharse; 3.- desayunar; 4.- coger el autobús; 5.- empezar la clase; 6.- encender el ordenador; 7.- comer; 8.- recibir un mensaje; 9.- escuchar la radio; 10.-entrar en casa; 11.- acostarse/ poner el despertador; 12.- dormir/ roncar.

7. 2
Siempre - casi siempre - normalmente - a veces - casi nunca - nunca.

Unidad 12

2. 1

Conversación A

▲ ¿Dígame?
■ Buenos días, ¿puedo hablar con el Sr. Sabadíe?
▲ Pues... mire, es que en este momento está hablando por la otra línea. ¿Quiere dejarle algún mensaje?
■ Sí, por favor. Dígale que ha llamado Eduardo Cejuela, de la Escuela Quevedo.
▲ Muy bien, yo se lo digo.
■ Gracias, adiós.
▲ De nada, adiós.

Conversación B

▲ ¿Sí?
■ Hola, ¿está María?
▲ ¿De parte de quién?
■ Soy Rodrigo, un compañero de clase.
▲ Sí, ahora se pone. ¡María!, es para ti.
● ¡Hola!
■ ¿María? Soy Rodrigo...

Bloque 5

Unidad 13

1. 2
(Posible solución).

Quijote- librería
El Bouquet- floristería
Aromas- Perfumería
Diamantes- joyería

Massimo Tutti- tienda de ropa
TecnoMerk- tienda de ordenadores
7 enanitos- juguetería

Gourmets- delicatessen
Tacones- zapatería
Casa de Diseño- decoración

4. 1

1.- Tomates; 2.- mantequilla; 3.- chuletas de cordero; 4.- azúcar; 5.- papel higiénico; 6.- cerveza; 7.- pan; 8.-plátanos; 9.- yogures; 10.- jamón york; 11.- lata de atún; 12.- detergente; 13.- vino de Rioja; 14.- pan de molde; 15.- bote de salsa de tomate; 16.- naranjas; 17.- cartón de leche; 18.- queso; 19.- suavizante; 20.- magdalenas; 21.- manzanas; 22.- pollo; 23.- pimientos; 24.- huevos.

Unidad 14

6. 1

1- Tortilla de patatas.
Ingredientes:
Sal, aceite, huevo, patata, cebolla.
2- Sangría
Ingredientes:
Azúcar, canela, vino, zumo de limón, fruta.
3- Gazpacho
Ingredientes:
Sal, aceite, vinagre, tomate, pepino, ajo, pimiento.

8. 1

número	comida	bebida	País o región
6	fabada	sidra	Asturias
2	churrasco	mate	Argentina
4	enchilada	tequila	Méjico
3	pescaíto frito	fino	Andalucía
5	cebiche	pisco	Perú
1	ropa vieja	ron	Cuba

Unidad 15

1. 1

1- Bar/ mesón/ bocadillería/ tasca; 2- Bar/ cafetería; 3- Mesón/ restaurante; 4- Bar/ mesón/tasca; 5- Bar/ tasca/mesón; 6- Bar/ pub.

2. 1

Marisquería.
Horchatería.

2. 2

Paladar- Cuba.
Marisquería- España.
Arepería- Venezuela.
Sidrería- España.
Chiringuito- España.
Horchatería- España.

6. 1

1.- ¿Me trae otra cuchara, por favor?
2.- Por favor, más ensalada ?/ ¿Me trae otra ensalada?
3.- Para beber agua/ vino...
4.- ...de postre un flan/ helado...
5.- ¿me trae la cuenta, por favor?
6.- De primero.../ de segundo

TRANSCRIPCIONES

Unidad 1

🎧 **3. 2**

Pista 1 (3.2) *Situación A*: En el trabajo.

▲ Buenos días, señora Muñoz. ¿Qué tal está?

■ .... ¿.....................?

▲ Bien, gracias. Mire, le presento al señor Molina, el nuevo secretario. La señora Muñoz.

■ ....

● Mucho gusto.

Situación B: En la calle.

▲ ¡Hola, Paco! ¿Qué tal estás?

■ .... ¿...........?

▲ Muy bien. Mira, ésta es Pili, una compañera de clase. Y éste es Paco, un amigo.

■ ....¿...........?

● ¡Hola!

Situación C: En el centro de idiomas.

▲ Hola, ¿qué tal?

■ ....¿...........?

▲ ¿Cómo te llamas?

■ ....

▲ ¿Y de apellido?

■ .... ¿...........?

▲ Yo me llamo Santi. ¿ Y de dónde eres?

■ ....

▲ Yo soy español. ¿Tomamos un café?

■ ....

Unidad 2

🎧 **4. 1**

Pista 2 (4.1) 1.- Escribe tus datos personales en esta ficha.

2.- En un lugar de la Mancha de cuyo nombre no quiero acordarme.

3.- ¡Una caña, por favor!

4.- *Reloj* es una palabra difícil.

5.- Soy estadounidense, pero no hablo inglés.

6.- "¡Ozú, qué caló!"

7.- Mi madre se llama María.

8.- Me llamo Izaskun Jaumaudreu Rodríguez.

🎧 **5. 1**

Pista 3 (5.1) 1. ▲ Toma, es un libro muy interesante.

■ ....

▲ De nada.

2. ▲ Ring, ring.
   ■ ¡El teléfono!, cógelo,.................

3. ▲ Toc, toc. ...., ¿puedo pasar?

4. ▲ Silencio ...., vamos a empezar.

5. ▲ ¡Qué bonitas son las flores, gracias, eres estupendo!
   ■ ....

6. ▲ ¿Diga?
   ■ Está María.
   ▲ Lo siento, no es aquí.
   ■ .... señor.

7. ▲ Gracias por el diccionario, Juan.
   ■ ....

Bloque 2

Unidad 4

4. 1

ta 4 (4.1) - Hoy vamos a hacer una encuesta para saber qué significan los colores para nuestros oyentes. Cuantas más respuestas tengamos, más objetivo será el resultado. Venga, anímate.

- ¿Con qué color relacionas la noche?
- ¿Y la pasión?
- ¿De qué color es para ti la paz?
- ¿Y la libertad?
- ¿Con qué color relacionas el día?
- ¿Y el dolor?
- ¿De qué color es para ti el trabajo?
- ¿Y las vacaciones?
- ¿Has podido responder? ¿Sí? Pues vamos a escuchar ahora a nuestros oyentes.

10. 1

ta 5 (10.1) David Beckham, Marie Curie, Penélope Cruz, Brad Pitt y Frank Sinatra.

Unidad 6

6. 1

ta 6 (6.1) 1.- Los alemanes son rubios y bastante estrictos.

2.- En general, las mujeres son más cariñosas que los hombres.

3.- Los italianos y los españoles tienen el mismo carácter.

4.- Los suecos son fríos, las suecas muy frívolas.

5.- Los mediterráneos son todos unos machistas.

6.- Muchas mujeres árabes llevan pañuelo en la cabeza.

7.- Los franceses son unos chovinistas.

8.- Los americanos son menos educados que los ingleses.

Unidad 7

 2. 2

Pista 7 (2.2) 1.- Un departamento es un piso que decís los españoles.

2.- El cortijo, pues una casa de campo en Andalucía.

3.- La hacienda es también una casa de campo, en muchos países de Hispanoamérica le llamamos así.

4.- El ático es un apartamento en el último piso de un edificio, que tiene una gran terraza.

5.- El estudio tiene una sola habitación, allí está el salón y el dormitorio, se cambia por la noche.

6.- Para nosotros apartamento es un piso de con un salón, un dormitorio, la cocina y el baño.

Unidad 9

 2. 1

Pista 8 (2.1) Grabaciones unos 20 segundos de distintos tipos de música.

 7. 2

Pista 9 (7.2) Grabación de distintos sonidos relacionados con las estaciones.

Unidad 10

 2. 1

Pista 10 (2.1) 1.- Hola, ¿tienes hora?

2.- Perdón, ¿qué hora es?

3.- Buenos días. ¿Me puede decir la hora?

4.- Buenas tardes, ¿tiene hora?

5.- Hola, buenas noches, ¿me puede decir la hora?

4. 3

Grabación de distintos sonidos de la vida cotidiana.

Unidad 11

 6. 2

Pista 11 (6.2) 1. ■ Mira, un test, ¿planificas con antelación los fines de semana?

▲ Pues no mucho, la verdad, normalmente improviso.

● Sí, nosotros solemos salir los viernes y siempre quedamos en el bar de Sole, luego decidimos qué hacemos.

■ Claro, siempre acabamos haciendo algo divertido.

2. ■ Bueno, bueno, seguimos, para el cine..., pues yo te puedo decir hoy mismo que te vengas a ver una peli, y seguro que me dices que sí.

   ■ Hombre, si la película es buena, ¿por qué no?

   ▲ Depende. Si es miércoles, vale, a lo mejor un sábado ya tengo otro plan.

3. ■ Si vienen amigos a cenar..., yo prefiero saberlo antes.

   ● Sí, claro, pero no con mucha antelación, que luego se me olvida.

   ▲ Incluso a veces yo le digo a un compañero, pues vente hoy y preparamos algo juntos. Está bien improvisar.

4. ■ Venga, las vacaciones. A veces cogemos el coche dos o tres amigos y ni tenemos reservas ni nada, a veces incluso ni sabemos dónde vamos exactamente, bueno sí, a Asturias, pero luego allí vamos haciendo planes sobre la marcha.

   ■ Sí, pero si vas al extranjero y en avión, tienes que reservar y llevar las cosas pensadas.

   ● Es verdad, pero para ir a la playa al apartamento de mis padres no tengo que hacer planes.

   ▲ Sí, sí, pero es mejor planear un poco todo, las vacaciones yo las tengo que pedir con tres meses de antelación y es mejor saber qué voy a hacer.

Unidad 12

1. 1

ta 12 (1.1)
1.- (Alguien marca un teléfono, espera, pero nadie responde).

2.- (Alguien marca un teléfono, pero la línea comunica).

3.- Este es el contestador automático de Carlos...

4.- ¿Sí? ¿Dígame?...

5.- ... muy bien. Vale. Hasta luego.

   - Hasta luego.

6.- ¿Diga?.

   - ¿Está Daniel? Soy...

7.- ¿Quiere que le de algún recado?

8.- ¿De parte de quién?

   - Soy...

9.- Bueno, es que en este momento está ocupado...

10.- Oye, que creo que se me está acabando la batería...

2. 3

ta 13 (2.3) **Conversación 1**

- ¿Dígame?

- Buenos días, ¿puedo hablar con el Sr. Sabadíe?

- Pues... mire, es que en este momento está hablando por la otra línea. ¿Quiere dejarle algún mensaje?

- Sí, por favor. Dígale que ha llamado Eduardo Cejuela, de la escuela Quevedo.

- Muy bien, yo se lo digo.

- Gracias, adiós.

- De nada, adiós.

Conversación 2

- ¿Sí?

- Hola, ¿está María?

- ¿De parte de quién?

- Soy Rodrigo, un compañero de clase.

- Sí, ahora se pone. ¡María!, es para ti.

- ¡Hola!

- ¿María? Soy Rodrigo...

Bloque 5

Unidad 14

8. 1

Pista 14 (8.1) Grabación de música típica de distintos países de habla hispana.

Unidad 15

2. 1

1. - ¿Dónde vais a cenar?

   - Pues en una sidrería con la cuadrilla, ya sabes, tomaremos tortilla de bacalao y chuletón, de postre membrillo con queso.

2. - Acá tomamos un plato muy popular, las arepas, por eso hay muchos establecimientos que se llaman areperas, y son pequeños restaurantes populares donde se sirven sobre todo este plato.

3. - Al bar en la playa le llamamos chiringuito, puedes comer algo también y por la noche están abiertos hasta la madrugada, a veces hasta hay actuaciones.

4. - Las casas de comidas para los turistas se llaman paladar, son restaurantes que encuentras por las carreteras, es algo bastante reciente en Cuba.

6. 1

1. Uf, se me ha caído la cuchara ¿le pides otra al camarero?

2. ¿Pedimos más ensalada?

3. ¿Qué van a beber?

4. - ¿Pedimos ya el postre?

   - Vale, camarero......

5. - ¿Nos vamos ya?

   - Espera, que pido la cuenta, camarero.........

6. ¿Qué van a tomar?